JN119972

屋久島の自然

世界自然遺産登録から30年

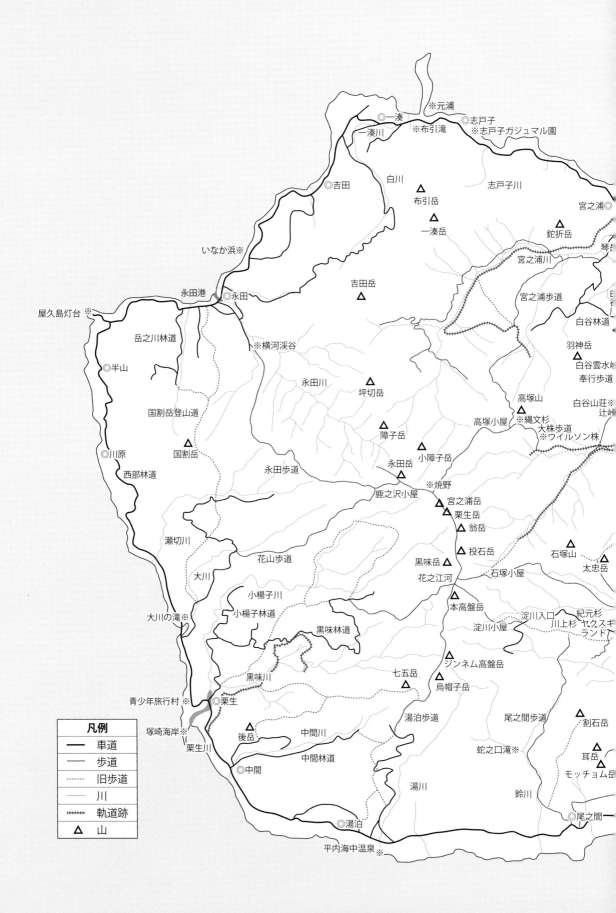

※元浦
◎一湊
一湊川
※布引滝
◎志戸子
※志戸子ガジュマル園
白川
志戸子川
◎吉田
布引岳
宮之浦
一湊岳
鈍折岳
琴
宮之浦川
いなか浜※
宮之浦歩道
白谷林道
永田港
◎永田
吉田岳
白谷雲水峡
屋久島灯台※
岳之川林道
※横河渓谷
羽神岳
奉行歩道
◎半山
永田川
坪切岳
高塚山
白谷山荘※
国割岳登山道
永田歩道
高塚小屋
※縄文杉
辻峠
◎川原
国割岳
障子岳
大株歩道
西部林道
永田歩道
小障子岳
※ワイルソン株
瀬切川
永田岳
※焼野
花山歩道
鹿之沢小屋
宮之浦岳
栗生岳
石塚山
大川
翁岳
太忠岳
小楊子川
黒味岳
投石岳
小楊子林道
花之江河
石塚小屋
大川の滝※
黒味林道
本高盤岳
淀川入口
紀元杉
淀川小屋
川上杉
ヤクスギ
ランド
青少年旅行村
黒味川
ジンネム高盤岳
塚崎海岸※
◎栗生
七五岳
烏帽子岳
尾之間歩道
割石岳
栗生川
後岳
中間川
湯泊歩道
耳岳
蛇之口滝※
◎中間
中間林道
モッチョム岳
湯川
鈴川
◎尾之間
◎湯泊
平内海中温泉※

凡例	
——	車道
——	歩道
······	旧歩道
——	川
┼┼┼┼	軌道跡
△	山

屋久島

宮之浦港

鹿児島

31°

30°

130°   131°

楠川

楠川歩道

小瀬田

※屋久島空港
長峰

愛子岳歩道

愛子岳

小杉谷

永久保

※田代枕状溶岩

毛立ダム

明星岳

安房川

荒川分れ

安房 ※安房港

安房林道

※屋久杉自然館

前岳

※春田浜

※猿川ガジュマル

小田汲川

鯛ノ川

※千尋滝   麦生

※龍神の滝

※トローキの滝

原

屋久島の固有種　ヤクシマリンドウ
〜世界で唯一屋久島の永田岳と宮之浦岳の頂上に咲く花〜

絵：福原　彩

はじめに

　屋久島との出合いは、1962（昭和37）年10月、鹿児島大学山岳部の秋山合宿での大川全遡行体験です。当時の装備は不十分で、沢登りのスタイルは、地下足袋に滑り止め用の荒縄を巻いたいでたちで、全く恰好いい姿ではありませんでした。しかし、大川の源流（鹿の沢）に至った時の美しい光景は強く印象に残っています。その後、屋久島登山や沢登りを楽しみ、動物の専門家としてヤクシカの生態調査、屋久島一周道路のための環境影響調査、移入種タヌキ対策の講演と技術指導、屋久島空港拡張の環境影響評価委員など、今も屋久島との関わりが続いています。

　日本における世界自然遺産の第一号は、1993（平成5）年に登録された鹿児島県の屋久島と青森県の白神山地でした。続いて小笠原諸島・知床半島が登録され、2021（令和3）年に鹿児島県の奄美大島と徳之島、沖縄県の沖縄島北部と西表島の四つの地域が登録されています。このような貴重な遺産を、人類すべてにとっての宝物として、損なわれることなく後世に残していかなければなりません。

　世界自然遺産「屋久島」も2023（令和5）年には登録されてから30周年になりました。

　屋久島はどのように変わり、どのように推移していくのかを見極める時期になっています。自然には遷移があり、社会環境にも変化があります。また、屋久島の動植物は生態系の中で生き、お互いに対応しながら「生態系の平衡」を保っています。自然遺産・屋久島が未来永劫に存続することを望みます。

　今回、『屋久島の自然　自然遺産登録から30年』と題しまとめました。屋久島の壮大さ・美しさ・奥深さをさらに知ってもらうべく、序章に「代表的な自然景観」を、第一章では、生物における最も基本となる「自然界の仕組みとまとまり」、第二章では、屋久島の自然を理解するための源である「屋久島の地勢と景観」、第三章は、屋久島の自然そのものの「屋久島の動植物」、第四章では、「屋久島を安全に楽しむ」と題し、著者の経験談を基に山岳遭難・事故防止の知恵を紹介しました。最終章の第五章では、「登録から30年　屋久島のこれから」と題し、現状の諸問題の解決策について述べてみました。

　屋久島の自然に関する著書や写真集には素晴らしいものが多いようです。しかし、屋久島の全体像を俯瞰できる書籍はわずかしかありません。小学校高学年生にも理解できるよう写真・図表等ふんだんに使い、分かりやすい文章にしました。

鮫島　正道

もくじ

屋久島の地図と位置図
はじめに

CONTENTS

屋久島を代表する自然景観

山岳
宮之浦岳

永田岳から望む宮之浦岳　九州最高峰宮之浦岳 （1936m）

永田岳の花崗岩トア(岩塔)

永田岳・宮之浦岳間の焼野からの眺望

永田岳と障子尾根遠景

岩壁
奇岩のローソク岩

花崗岩の岩壁　永田岳西100m下方、標高1750m付近にある

湿原
花之江河・小花之江河

花之江河の高層湿原（1620m）

小花之江河と本高盤岳

名花
屋久島を彩る
固有変種ヤクシマシャクナゲ・
シャクナンガンピ

ヤクシマシャクナゲ（ツツジ科）

写真：美穂野　善則

固有種のシャクナンガンピ（ジンチョウゲ科）

巨樹
縄文杉

霧の縄文杉　大株歩道の最上部にある（標高1300m）

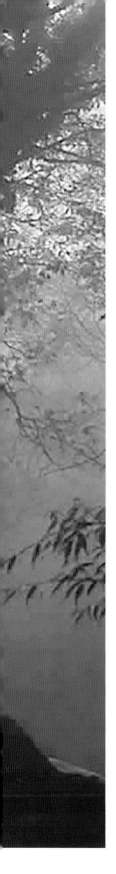

ウイルソン株

300年程前に伐採された切り株（標高1030m）

ウイルソン株の内部　ハート型の空洞

動物
鹿と猿

固有亜種のヤクシカ（屋久島最大の哺乳類）

固有亜種のヤクザル（日本での分布南限種）

瀑布
大川の滝と千尋滝

大川の大滝　栗生海岸西方にあり、落差88m南九州一の規模を誇る

千尋滝　モッチョム岳東面の裾を流れ落ちる滝

河川
峡谷と安房川

照葉樹林と安房川河口付近　巨大な峡谷や河川は野生動物の往来路を寸断する

第1章
自然界の仕組みとまとまり

シカとサル

スギの古木に守られた小杉

風雨に耐える老巨木

　自然界とは、天地万物の存在する範囲だといわれます。山あり谷あり、そして草木に動物、雨や風など、自然は具体的にはそのような存在といえます。

　地球上には、気圏、水圏、地圏の3圏を舞台にして、太陽（日光）のエネルギーを得て実に多様な生きものの生活があります。その結果、自然界にはいろいろな規模の巧妙な物質循環とエネルギー流転のシステムができています。このシステムを生態系と呼びます。

　「生態系」は、特定の地域の生物とそれを取り囲む物理的環境を、総合した統一体として捉えた概念であり、いろいろなものが組み合わさった「系」（システム）を指しています。当然、自然植生だけでなく、そこにすむ動物たちも含めて考える必要があります。

　植物の葉・茎・幹には無数の虫たちがすんでおり、それらをエサとする大型の昆虫や小鳥たちも集まってきます。そればかりか、根の周りや地中深くまで、昆虫の幼虫やミミズ、モグラなどがすみ着いています。多くの動植物が参加して社会のようなシステムをつくりあげているのです。

　この章では、自然界のいろいろ、生態系の中でも特に動物との関わりのある食物連鎖と食物網について、基礎部分をやさしく述べてみます。

1. 自然界のいろいろ

　日本の自然界はたいそう美しく、春はサクラ、秋はモミジというように四季があり、年間を通して四季それぞれの変化に恵まれています。

　地球上には、気圏、水圏、地圏の３圏があり、太陽で温まった海水が蒸発して湿った空気をつくり雲となります。雲は雨を降らせ、雨水は地表を潤し、植物や動物を育みます。そして、水は川に集まり海に注がれます。そこには壮大な「水の循環」が見られます。

　自然界では、雨降りの続く梅雨という季節もあり、強風や洪水をもたらす台風も来ます。暑い夏には入道雲が発達して、にわか雨が降ってきます。冬には雨が霰や雪に変わり降り積もります。このように、自然界にはいろいろな自然現象が見られます。

　さまざまな自然現象を体感し、自然の事物に興味・関心を示し、観察の芽をのばし、これを理解し、かつ自然に親しみ、これに感謝する心を培ってもらいたいものです。

春　ヤマザクラ

夏　夏鳥アマサギと田園

秋　黄葉のヤクシマオナガカエデ（白谷雲水峡）

冬　海岸線から見る永田岳の雪化粧

屋久島の四季

（海—太陽—水蒸気—雲—雨—動植物—川そして海）

自然界のいろいろ（水の循環）

2．生態系の構成要素

　生態系とは、ある地域の生物の群集である有機的環境（生物的環境）と、それらに関係する無機的環境（非生物的環境）をひとまとめにし、物質循環・エネルギー流などに注目して機能系としてとらえたものです。生物・無機的環境全体を指して使われることもあります。イギリスの植物生態学者タンズレーによって1935年に提唱され、この系に生態系という名前が与えられました。

　生態系には、太陽と空気、水と土壌により植物が生産され、その植物を餌として消費する一次消費者（草食動物）、それを餌とする二次消費者（肉食動物）、また、その二次消費者を食べる三次消費者の肉食動物がいます。その中で、一番上位にくるものを高次消費者といいます。そして、それらの死んだ動物や落葉落枝を分解する動物や微生物（分解者）によって、生態系が形成されています。

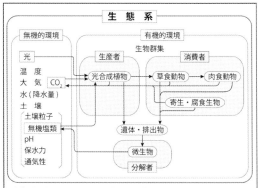

生態系：生物と非生物的環境を物質循環の観点から1つのまとまりとしてとらえたもの。
有機的環境：環境を構成するさまざまな要素のうち、生きている同種・異種の生物。
無機的環境：環境を構成するさまざまな要素のうち、光、水、大気、土壌等の物理的・化学的要素。

生態系の構成要素

生物の集団

　生物は、同種や異種の生物、また、周囲の環境とさまざまな関係をもって生活しています。生物の生活様式は、環境の影響を受けます。また、環境も生物の影響を受けて変化します。変化していないように見える生態系も、一定の幅で変動しながらバランスを保っています。

生態系の平衡

　はかりのさおを衡といい、平衡とは釣り合いがとれていることを指します。生産者と一次消費者、一次消費者と二次消費者のように、食べられるものと食べるものとが釣り合いがとれている状態を「生態系の平衡」といいます。

　安定した生態系には、植物の種類が多く、それを食物とする動物の種類も多く、食物網が複雑に出来上がっていて、特定の種類が急に増減するようなことはありません。

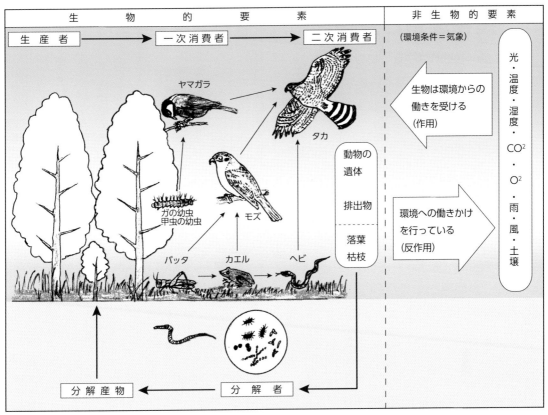

生態系における生物の役割

ムカデとイソヒヨドリ

キアゲハ（幼虫）とボタンボウフウ（食草）

イシガケチョウとサワガニ死体

サルの糞とアブ

食べる捕食者と食べられる被食者・多様な餌資源

3. 食物連鎖と食物網

　動物は食べなければ生きていけません。人間を含め、地球上に生活するいかなる動物も、生きていくために必要なエネルギーをすべて太陽から得ています。もちろん、直接にそれを利用しているわけではなく、植物の光合成を通じて利用しているということです。太陽光から植物、植物から動物へとエネルギーは受け継がれていきます。イネ科植物の葉をバッタが食べ、バッタはカエルに食べられ、さらにカエルは肉食鳥に捕食されます。この関係を食物連鎖・食物網と呼び、イギリスの動物生態学者 Elton（エルトン）によって提唱されました。

　食う方を捕食者、食われる方を被食者といい、両者の関係を捕食者―被食者相互関係といいます。鎖のようにつながった捕食―被食関係を食物連鎖といい、一本の鎖でつながっているわけでなく、実際には複雑に絡み合っているので、食物網と呼ぶこともあります。ここでは、屋久島の自然界で観察される生態系を表と図で紹介します。

　生態系という考え方によると、光合成を行う植物は生産者で、それを食べる動物は消費者です。また分解者としての菌類やバクテリアが存在します。生物社会を物質とエネルギーの流れでとらえようとする体系です。

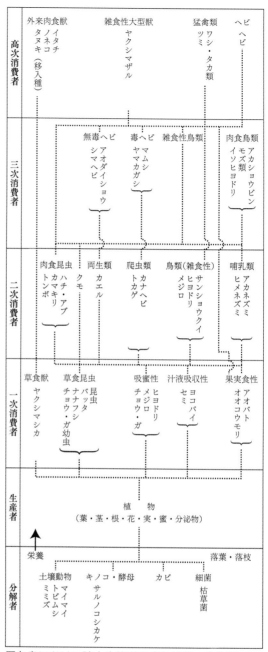

屋久島における陸上生態系の食物連鎖・食物網

消費者	**栄養補給でつながる生物たち（消費者）** 　緑色植物のように有機物を合成するものを「生産者」といいます。生産者を食べる植物食性動物を「第一次消費者」、植物食性動物を食べる小形動物食性動物を「第二次消費者」、小形動物食性動物を食べる大形動物食性動物を「第三次消費者」といいます。 　どの生物にとっても、外界から栄養補給が生存の条件になっています。つまり「食うもの」と「食われるもの」のバランスがとれていて、始めて安定した生態系が成り立ちます。	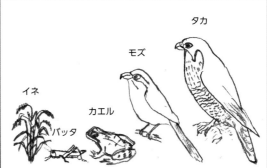 生産者　第一次消費者　第二次消費者　第三次消費者　高次消費者 【上位に食われる食物網】
生産者	**栄養を生産する緑色植物（生産者）** 　植物は、光合成を行って生活する独立栄養生物であり、ふつう、一生を通じて発芽した場所で生活します。また、植物は一生を通じて茎の分裂組織が分裂し続けて茎や葉をつくり続けます。この結果、被子植物の個体は、茎、葉、芽がくり返した構造をとります。 　緑色の葉をもつ植物は太陽から受けた光エネルギーを利用し、空気中の二酸化炭素と根から吸い上げた水と無機物を原料にしてデンプンやブドウ糖など炭水化物を合成します。	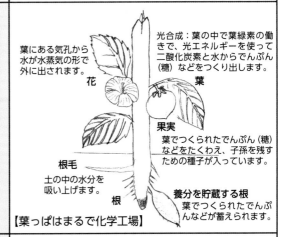 【葉っぱはまるで化学工場】
分解者	**分解者の働きで無機物に（分解者）** 　森林では、落葉落枝がたくさん地面にたまります。しかし、分厚く埋め尽くされることはありません。また、動物の遺骸や排泄物の分解にも地表にすむ微生物や菌類（カビやキノコ）が活躍します。ミミズや昆虫の幼虫、シロアリ、シデムシ、オサムシといった土壌にすむ動物達も、森の掃除屋（分解者）になります。分解者によって植物が必要とする二酸化炭素、アンモニア、水などに分解し、供給され、半永久的に循環します。	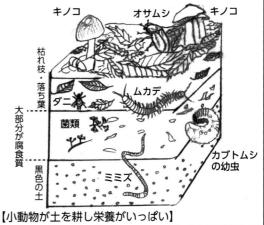 【小動物が土を耕し栄養がいっぱい】

生態系の物質循環とエネルギー流（分解者・生産者・消費者間の関連）

第2章 屋久島の地勢と景観

雪の縄文杉1973（昭和48）年2月

白骨樹とトーフ岩（本高盤岳）

千尋滝

　人類にとって普遍的な価値を持ち、他に類例を見ないような「地球の宝」を世界遺産といいます。「世界自然遺産」として日本で最初に登録された屋久島は、樹齢1000年を超える屋久杉の原生林とともに、亜熱帯から高山帯に至る多様な植物分布（垂直分布）が認められ、あたかも日本列島の自然が凝縮されていると高い評価を受けています。

　地勢とは、土地のありさまのことであり、地表の起伏・深浅などの状態、いわゆる、土地の高低・山川のあり方などを中心として見た、土地の形勢（状態）をいいます。屋久島の地質構造は花崗岩であり、至る所で巨大な岩が露出しているのも特徴です。気象としても雨が多く、深く刻み込まれた岩肌や渓谷美があらゆる場所で見られます。

　景観とは、見るだけの価値を持った特色のある景色のことで、風景外観・けしき・ながめ・またその美しさをいいます。屋久島の自然は、どこを切り取っても美しい絵になります。

1．屋久島の地勢

　地勢が醸し出す景観は、その地特有の個性を表現します。屋久島は、鹿児島県大隅半島から約60km離れた沖合に位置し、周囲は、南から北進する黒潮（暖流）に囲まれた花崗岩でできた山岳島です。

　低地は亜熱帯の気候であり、無霜地帯ですが、山塊の最高部の宮之浦岳（1935m）の山頂部は冬には雪に覆われます。空気中の温度は、一般的に標高が100m上昇することによって0.6℃前後低下する（気温減率）ことが知られています。また、日本一の雨量の屋久島は、海岸でも年間4000ミリ、山地では1万ミリを超えるところもあります。黒潮に乗って湿気を含んだ暖かい空気は、中腹部の山塊に突き当たり、雲霧林を形成させ世界有数の「雨」の量をもたらしています。

　自然遺産には、自然景観、地形・地質、生態系、生物多様性の4つの価値基準（クライテリア）があります。屋久島は、これらの価値基準をすべてクリアし、著名な世界の自然遺産と比べて、少しも遜色のない地域です。

雪の紀元杉（標高1320m付近）

雲霧林のサルオガセ（標高1340m付近）

緑深き原生林（標高1200m付近）

気根のシャワー猿川のガジュマル（標高10m）

梅雨期の千尋滝

屋久島の河川では大規模なV字谷が見られます

（1）屋久島の生い立ち

屋久島の生い立ち　九州の南東部は、新生代古第三紀（6300万〜3600万年前）ごろは海底であったそうです。その頃は、屋久島はまだ誕生していません。海底には、アジア大陸から流れ込んだ土砂が堆積して、長い間に現在の熊毛層群を形成していました。第三紀の終わりの鮮新世に入るころ（およそ1400万年前）、現在の屋久島の位置に花崗岩の塊がせり上がってきて、熊毛層群の割れ目に入り込み、あるいは押し上げて、姿を現したと湊（1973）は記述しています。

枕状溶岩の岩塊　屋久島の東端の永久保に枕状溶岩の岩塊があります。この枕状溶岩は4000万年前の海底火山の噴火により、海中に流出した溶岩が海水で急激に冷やされてできた岩塊です。はるか遠くの海底でできた枕状溶岩の岩塊はプレートの移動によって現在地の永久保海岸に到達しています。

アカホヤ火山灰　屋久島は、火山ではありません。しかし、火山灰の影響を受けた島ということができます。7300年前、屋久島の北西30kmに位置する鬼界カルデラが噴火し、それにより噴出したアカホヤ火山灰が厚く堆積しています。

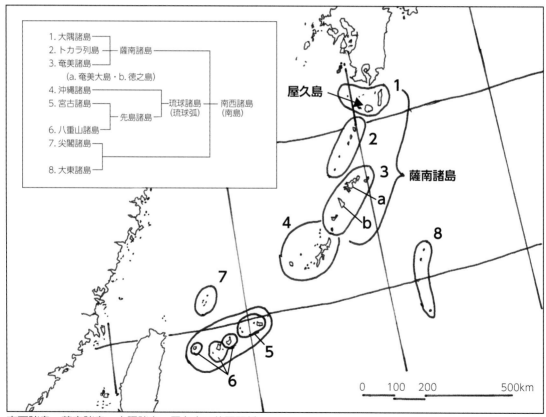

南西諸島・薩南諸島・大隅諸島・屋久島の位置関係

地質時代の年代区分（佐藤正孝編著）『新版種の生物学』

新生代　Cenozoic	第四紀　Quaternary	完新（沖積）世　Holocene		── 1万年
		更新（洪積）世　Pleistocene		── 200万年
	第三紀　Tertiary	鮮新世　Pliocene	新第三紀　Neogene	── 500万年
		中新世　Miocene		── 2000万年
		漸新世　Oligocene	古第三紀　Paleogene	── 3600万年
		始新世　Eocene		── 5800万年
		暁新世　Paleocene		── 7000万年
中生代　Mesozoic	白亜紀　Cretaceous			── 1億2500万年
	ジュラ紀　Jurassic			── 1億8000万年
	三畳紀　Triassic			── 2億3500万年
古生代　Paleozoic	ペルム紀　Permian			── 2億7000万年
	石炭紀　Carboniferous			── 3億5500万年
	デボン紀　Devonian			── 4億400万年
	シルル紀　Silurian			── 4億4400万年
	オルドビス紀　Ordvisian			── 5億年
	カンブリア紀　Cambrian			── 5億4000万年
原生代　Protozoic　始生代　Archaeozoic	先カンブリア紀　Precambrian			── 26億年　── 45億年

永久保の田代海岸には枕状溶岩の岩石群が見られる

【枕状溶岩】

　屋久島の東端の永久保の田代川左岸に沿って下ると、岩のゴツゴツした枕状溶岩があります。この枕状溶岩は4000万年前、沖合の海底火山の噴火により、海中に流出した溶岩が海水で急激に冷やされてできた岩で、以降プレートの移動・隆起により地表に現れたものです。枕を積み重ねたような岩塊を成していることからこう呼ばれています。

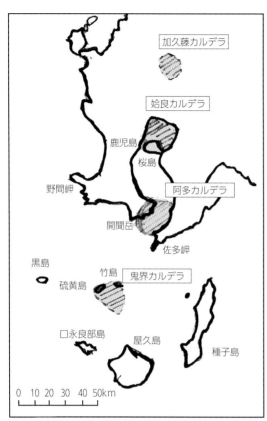

南九州の四大カルデラ（加久藤・姶良・阿多・鬼界）

屋久島の遠望（馬毛島より）

急峻な屋久島を、かつて火砕流が覆った

【鬼界カルデラと幸屋火砕流】

　この鬼界カルデラは、現在では海の底に沈んでいるためその大きさを見ることはできません。しかし、現在の硫黄島・竹島は鬼界カルデラの外輪山の一部であるといわれています。鬼界カルデラの噴火規模は非常に大きく、過去1万2000年で起きた世界中の噴火の中で最も大きい噴火の一つとされています。鬼界カルデラの噴火により噴出した火山灰は東北地方の南部まで到達しています。噴火に伴い発生した幸屋火砕流も屋久島の大部分を覆ったとされ、この噴火は屋久島の動植物に壊滅的な被害を与えたといわれています向井（2019）。

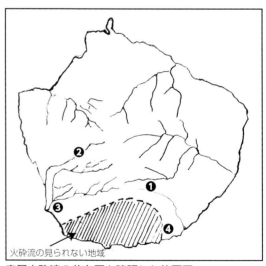

幸屋火砕流の分布図と確認した位置図
※右の写真と対応しています

直下は鬼界カルデラ（硫黄島（左）・高速船・竹島（右））

幸屋火砕流の痕跡アカホヤ（赤土粘土層）

（2）花崗岩の山塊

屋久島は花崗岩の巨大な塊　特定の地域の地質学的な発達・変遷の歴史の研究は「地史学」といいます。屋久島は、新生代第三紀の終わりの鮮新世に入るころ（およそ1400万年前）、現在の屋久島の位置に花崗岩がせり上がってきて、熊毛層群の割れ目に入り込み、あるいは押し上げて、姿を現したと考えられています。

建築用材の御影石　花崗岩とは、深成岩の一つです。石英・正長石・斜長石・雲母などから成る灰白色で黒い点のある、堅くて美しい火成岩です。土木・建築用に使われ一般的に御影石ともいわれます。

屋久島花崗岩　屋久島の山体をつくる花崗岩は屋久島花崗岩といわれ、長さが10cmを超える乳白色の大きな正長石の斑晶を含んでいます。花崗岩が風化すると石英、長石、黒雲母の粗い砂粒になりますが、長石の大きい結晶は、長方形の大きい礫として砂の中に見つけることができます。

屋久島の誕生の歴史　このような島の誕生の歴史があるために、屋久島の地質を調べると図のように中央部に花崗岩の地層、周辺部に熊毛層群があり、二つの部分から成ることが分かります。島の北西部の永田付近では熊毛層群が陸上に姿を見せていないので、屋久島花崗岩の上昇が均一に起こっていないことが分かります。

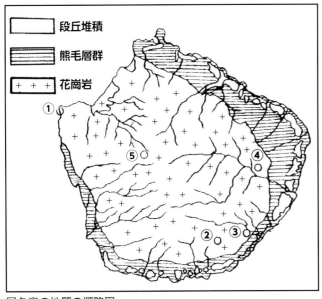

屋久島の地質の概略図

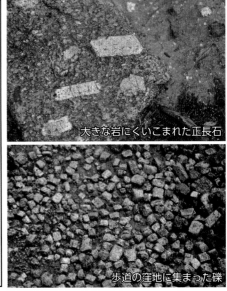

大きな岩にくいこまれた正長石

歩道の窪地に集まった礫

永田岳西壁のローソク岩

本富岳（モッチョム岳）の南壁

千尋滝右岸の岩壁

屋久島灯台の西部海岸

崩落と花崗岩の露出（安房林道）

※写真の番号と地質の概略図と一致します

(3) 南海の山岳島

九州最高峰の奥岳 屋久島は、鹿児島県大隅半島から約60km離れた沖合にあり、種子島と共に、南西諸島の最も北に位置しています。面積はおよそ500km²の小さな島ですが、九州本土最高峰の久住山（1787m）より高い山が七座あり、冬期には雪に覆われます。宮之浦岳（1935m）をはじめとし、永田岳（1886m）、栗生岳（1867m）、翁岳（1850m）、安房岳（1830m）、投石岳（1830m）、黒味岳（1831m）など1800m以上の山々が連なり、九州での最高主稜を成し、屋久島の人たちはこれらの山岳を総称して「奥岳」といい「八重岳」とも呼んでいます。

前岳と奥岳の中間に位置する山々 「奥岳と前岳の中間」には、永田岳北尾根の坪切岳・障子岳・小障子岳の山々がそびえ、その他の地域では高塚山・石塚山・太忠岳・本高盤岳・ジンネム高盤岳・鈴岳・烏帽子岳・小楊子山・焼峰・桃平・竹の辻等の原生林に覆われた最も屋久島らしい山々がひしめいています。

海岸線から一望できる山々は前岳 海岸線の集落からは奥岳はほとんど望めません。望める山々のほとんどは「前岳」と総称しています。しかし、海岸線の集落から奥岳の望める場所が唯一永田集落です。筆者の体験ですが、もう一カ所快晴の日に、奥岳の一つ黒味岳の頂上から栗生集落を見下ろした記憶があります。ということは、快晴であったら、栗生集落の海岸線から黒味岳の山頂部が見えるはずです。

屋久島の山々の呼称（奥岳・前岳）

奥岳 ｜ 永田集落から永田岳を望む ｜ 厳冬期の宮之浦岳 ｜ 3月の永田岳とネマチ峰

中間の山々 ｜ 黒味岳から本高盤岳・烏帽子岳・七五岳 ｜ 太忠岳と天柱石 ｜ 本高盤岳

前岳 ｜ 鉈折岳・剣魚山・一泰岳 ｜ 前羽神岳・羽神岳・後羽神岳 ｜ 本富岳・耳岳

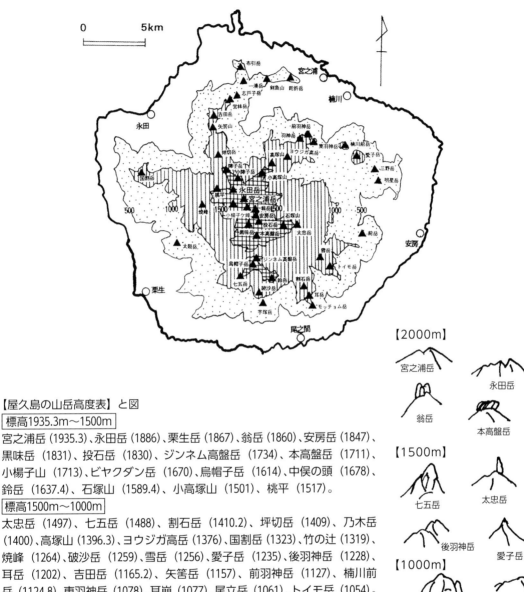

【屋久島の山岳高度表】と図

標高1935.3m〜1500m
宮之浦岳 (1935.3)、永田岳 (1886)、栗生岳 (1867)、翁岳 (1860)、安房岳 (1847)、
黒味岳 (1831)、投石岳 (1830)、ジンネム高盤岳 (1734)、本高盤岳 (1711)、
小楊子山 (1713)、ビヤクダン岳 (1670)、烏帽子岳 (1614)、中俣の頭 (1678)、
鈴岳 (1637.4)、石塚山 (1589.4)、小高塚山 (1501)、桃平 (1517)。

標高1500m〜1000m
太忠岳 (1497)、七五岳 (1488)、割石岳 (1410.2)、坪切岳 (1409)、乃木岳
(1400)、高塚山 (1396.3)、ヨウジガ高岳 (1376)、国割岳 (1323)、竹の辻 (1319)、
焼峰 (1264)、破沙岳 (1259)、雪岳 (1256)、愛子岳 (1235)、後羽神岳 (1228)、
耳岳 (1202)、吉田岳 (1165.2)、矢筈岳 (1157)、前羽神岳 (1127)、楠川前
岳 (1124.8)、東羽神岳 (1078)、耳崩 (1077)、尾立岳 (1061)、トイモ岳 (1054)。

標高1000m〜500m
トリゴエ峰 (988)、営林岳 (974)、前岳 (965.9)、大太鼓岳 (946.4)、本富
岳 (944)、三野岳 (船行前岳) (943.6)、志戸子岳 (907.9)、太鼓岳 (875)、
ジトンジ岳 (858.3)、剣魚山 (821)、芋塚岳 (794)、一湊岳 (779)、カン
カケ岳 (772.5)、明星岳 (651)、布引岳 (643)、小瀬田前岳 (628)、モイヨ
岳 (614)、鉈折岳 (552)、矢本岳 (550)。

標高500m〜200m
高平岳 (493)、後岳 (400)、小楊子ケ峰 (295.4)、琴岳 (245)。

(4) 水の恵み

雨量日本一の屋久島　水はさまざまな生命を支え育む源泉です。地球上に生きる全ての生物は、水の恵みを享受して生存しています。日本一の雨量のある屋久島は、俗に「月に35日雨が降る」といわれています。海岸でも年間4000ミリ、山地では1万ミリを超えるところもあります。水の恵みを受けながら、今も太古の姿を残す貴重な自然遺産として、屋久島は存在します。

屋久島の山塊が雨を呼ぶ　北進する暖流（黒潮）に伴われた暖かい湿った空気は、忽然とそびえ立つ山塊に突き当たり、世界有数の「雨」をもたらしています。雨は、樹木を育んで鬱蒼とした森をつくります。森に降った雨は、樹木の根や苔むした地面の土中深く流れ、ほとばしる水が幾多の川になり流れ下ります。「樹と岩の島」とも呼ばれる屋久島は、また「水の島」でもあります。

急流の河川が140　屋久島には大小合わせて140余りの河川があるといわれます。一般的な河川は上流・中流・下流域といった形態ですが、屋久島の河川は、すべてが上流域的であり、水は急流となって海へと駆け下ります。

屋久島の主な河川

【屋久島の河川】
　奥岳に源流をもつ主要河川は最長の安房川（21.0km）をはじめとして、宮之浦川（16.0km）、小楊子川（16.5km）、黒味川（11.5km）、大川（11.0km）、永田川（11.0km）などで、流程はわずか十～二十数kmですが、海抜（高距）は1800mの急峻な勾配を持っています。ひとたび降雨をみると河川の水は急流となって駆け下ります。河床の浸食作用は甚だしく、100mを超えるゴルジュ（谷の両岸が狭まり、岸壁の廊下状になっている所）や滝が発達し、ダイナミックな渓谷美を形成しています。

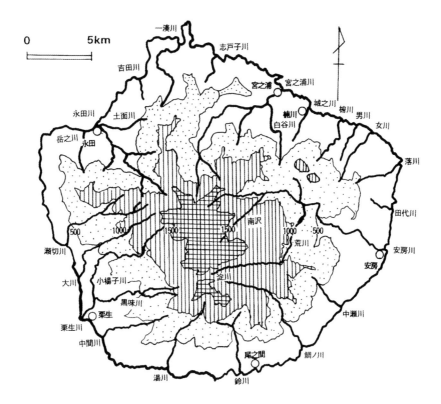

大川下流から中流・上流へと雲が上っていく

七五岳の山塊に湿った空気が突き当たり雲を呼ぶ

屋久島の山塊が雨を呼ぶ

（5）日本列島の自然の凝縮

バイオームの移り変わり　　特定の地域の環境に適応した植物や動物、菌類、細菌などが形成する特徴的な生物集団は、バイオーム（生活群系）と呼ばれます。日本のバイオームについて、主として緯度によるバイオームの移り変わりを「水平分布」、高度による変化を「垂直分布」といいます。地上の気温は気温減率により、高度が100m高くなるにつれておよそ0.5～0.6℃の割合で低下することが分かっています。

水平分布と垂直分布　　暖かさの指数は南から北にかけて減少するので、「水平分布」は、日本列島では、南から亜熱帯・暖温帯（照葉樹林）・冷温帯（夏緑樹林）・亜寒帯（針葉樹林）・高山草原に分けられます。一方、「垂直分布は、低い方から亜熱帯植物帯（丘陵帯）・温暖帯常緑広葉樹林（照葉樹林）・冷温帯常緑広葉樹林（夏緑樹林）・亜寒帯針葉樹林帯・亜高山帯植物群落に分けられます。

亜熱帯多雨林から高山帯の低木林　　屋久島の緯度は北緯30度で、標高1936mの山岳島です。このことから屋久島は、複数のバイオームを持っていることになります。水平分布と垂直分布を対応して見ると、海岸線付近は亜熱帯多雨林ですが、高度を上げていくに従い、照葉樹林、夏緑樹林、針葉樹林と変化し、宮之浦岳山頂付近は高山帯で低木林・草原になっています。

【屋久島は日本列島の自然が凝縮されている】
　屋久島は、鹿児島南端から南へ約60kmの島です。島の中央には、九州最高峰1935mの宮之浦岳がそびえ、山塊には1000mを超す山々が30座以上もあります。山岳島の屋久島には、亜熱帯から高山帯にわたる豊かな植生が保たれています。海岸近くにはガジュマルやアコウなどの亜熱帯性植物、照葉樹林、そして650m以上は屋久杉などの針葉樹林、1500m以上はヤクザサが群生し、多様な植物分布が見られます。この豊かな屋久島は、日本列島の自然が凝縮されているといわれています。

ヤクザサ帯
常緑針葉樹林帯
常緑広葉樹林帯
亜熱帯植物帯

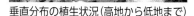
垂直分布の植生状況（高地から低地まで）

【気温逓減率】
　気温とは、大気の温度。地表面の場所、高さ、時間によって変化する。普通、地面から約1.5mの高さの気温を地上温度とする。
　気温逓減率とは、高度と共に気温の変化する割合をいう。対流圏では高度が100m増すごとにほぼ摂氏0.6度の割合で気温が下がる。

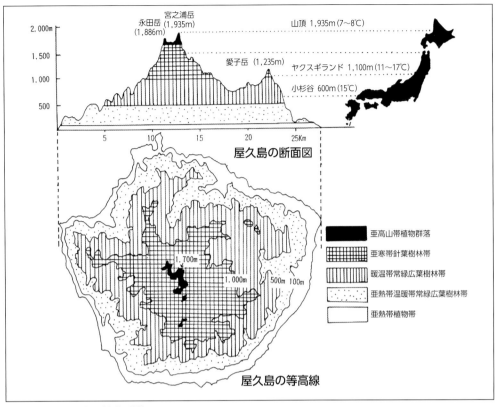

屋久島の垂直分布と植物群落

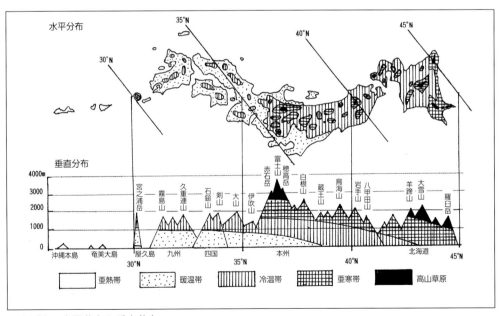

日本列島の水平分布と垂直分布

2．屋久島の景観

　景観とは、見るだけの価値を持った特色のある景色のことで、風景外観・けしき・ながめ・またその美しさをいいます。

　世界自然遺産には、自然の景観、地形・地質、生態系、生物多様性の4つの価値基準（クライテリア）があります。そのうち1つ以上を満たしている必要があると示されています。その他に、①完全性（欠点や不足がないさま）の条件を満たしていること、②確実に保護を担保する適切な保護管理体制であることなどが世界遺産登録の必要条件として挙げられています。既に指定から30年になる現在、屋久島の「自然の景観」は今でも異彩を放っています。

　景観について日本の法律では明確に定義されていないため、さまざまな解釈で用いられています。日本では2004（平成6）年に施行された景観法があります。日本初の景観についての総合的な法律です。

【景観をつくりだす自然】※右の写真と対応しています

山岳
- ①主稜線に並ぶ、翁岳の北峰と南峰（奥岳）
- ②永田集落からの永田岳（奥岳）の眺望
- ③白谷林道からの前岳（鉈折岳・剣魚山・一湊岳）の眺望
- ④宮之浦岳への道とヤクザサ帯

岩・岩峰
- ⑤本高盤岳の頂上の巨岩（小花之江河からの眺望）
- ⑥ヤクスギランドから見る太忠岳と天柱石
- ⑦永田岳西壁、ローソクを突きたてたような岩壁
- ⑧宮之浦岳と翁岳間にある巨大オブジェ

森・樹林
- ⑨紀元杉付近の原生林
- ⑩うっすら雪化粧した針葉樹、淀川入り口付近
- ⑪大川中流域の緑の峡谷に雲が湧く
- ⑫白谷雲水峡の弥生杉、下部は健全なスギ

川・滝
- ⑬永田川の景勝地、河床は花崗岩の一枚岩
- ⑭安房川の大峡谷
- ⑮豊富な水しぶき
- ⑯一湊の布引の滝、渇水期は水が涸れる

海・岩礁
- ⑰宮之浦海岸からの種子島、水平線上に一瞬浮く
- ⑱宮之浦海岸の砂浜に露出した岩礁と波飛沫
- ⑲春の春田浜とイワタイゲキ（トウダイクサ科）
- ⑳栗生の塚崎海岸とタイドプール

山岳
❶ 翁岳（奥岳）

岩・岩峰
❺ トーフ岩

森・樹林
❾ 土砂降りの雨（6月）

川・滝
⓭ 横河渓谷

海・岩礁
⓱ 水面に浮く種子島（朝焼け）

❷ 永田岳

❸ 鉈折岳・剣魚山・一湊岳（前岳）

❹ 宮之浦岳（奥岳）

❻ 天柱石

❼ ローソク岩

❽ 巨大オブジェ

❿ 粉雪の化粧（1月）

⓫ 雲湧く緑の峡谷（6月）

⓬ 弥生杉の白骨樹化

⓮ 安房川と照葉樹林

⓯ 増水期の大川の滝（6月）

⓰ 布引の滝（5月）

⓲ 岩礁に打ちつける波

⓳ 春田浜（3月）

⓴ 栗生の塚崎海岸

（1）滝のある風景

滝とは　高い崖から流れ落ちる水。また、流水が崖などから急に強い勢いで落ちるものとあり、瀑布ともいいます。ごうごう落ちる滝の音、滝壺には涼しい風が吹いています。

　世界の三大瀑布として、ビクトリアの大瀑布、ナイアガラの瀑布、イグアスの滝が知られています。また、日本でも華厳の滝、那智の大滝があり、日本の滝百選に屋久島の大川の滝と千尋滝があります。

屋久島の滝　屋久島の滝で固有の名を持った滝は、鯛ノ川にある千尋滝（落差30m）、龍神の滝、トローキの滝（落差6m）、大川にある大川の滝（落差80m）、鈴川の蛇之口滝（落差30m）、瀬切川の瀬切滝（落差40m）、一湊の布引の滝、栗生川のお谷ケ滝、そして、屋久島の深部には、人がほとんど近寄れず見ることのできない"幻の滝"といわれる宮之浦川の上流域の竜王滝（110m三段の滝）と小楊子川の上流域の小楊子大滝（上部40m、下部30mの二段から成る）があります。

多様な顔をもつ滝　川の水はたえず一定量とは限りません。屋久島の滝は、雨水の増減や季節により変化します。このこともあり、全く同じ景色の写真が撮れません。たくさんの顔を持っていることも魅力の一つです。

千尋滝　　龍神の滝　　海水面に落ちるトローキの滝
鯛ノ川下流域に集中する滝群

【屋久島の滝・初遡行の記憶】
　千尋滝・龍神の滝・トローキの滝のある鯛ノ川の初遡行は1964（昭和39）年、大川は1962（昭和37）年であり、太田五男（1993）の『屋久島の山岳』に記しています。偶然にもこの二つの滝の初遡行は筆者（鮫島）が鹿児島大学山岳部在籍時に残した記録です。
　くしくも、私にとって初めての屋久島登山は、登山道を使わず沢登りでした。装備の無い時代、地下足袋に荒縄を巻いたいでたちであり、恰好いい姿ではありませんでした。当然ながら、日本での初記録であることを知らない、無知な時代の話です。

増水期（6月）の大川の滝

家族連れと大川の滝（8月）

渇水期（3月）の大川の滝

（2）屋久島の湿原

屋久島の湿原　屋久島には高層湿原と低層湿原の両方が存在しています。高層湿原と低層湿原の定義は、湿原のある標高が高いか低いかで分けているかのように考えられがちですが、そうではありません。

屋久島の低層湿原　田川（1999）によれば、低層湿原は、湿原をつくる水が地下水やその影響を受けた流水によって供給されていて、河畔や湖畔の冠水部で見られます。屋久島では春田浜に低層湿原があり、ヒトモトススキの群落やヨシ・スゲ類・イグサ・ダンチクなどの植物が主な植生を構成しています。

日本最南端の高層湿原　高層湿原は水分が流水から供給されていて、水中で生育したミズゴケ類が長い時間をかけて成長し、水面から生え出し盛り上がってきます。通常、寒冷多湿の地に発達します。湿原では、水中の有機物は酸素不足のため分解が不十分で、水面下に堆積した有機物は泥炭（ピート）を形成します。屋久島では日本最南端の高層湿原として、小花之江河・花之江河があります。

スゲ・イグサ・ダンチク

水たまりとスゲ群落

低層湿原のある春田浜

サンゴ礁
泥炭層
薄いサンゴ礁の下には泥炭層がある

ツマベニチョウ（ミネラル補給）

ベニトンボ
（東南アジア産のトンボが北上）

春田浜の低層湿原と小動物

【低層湿原の春田浜】
　安房の春田浜海岸には、屋久島で最大の離水サンゴ礁が見られます。このサンゴ礁は6000年ほど前に浅い海底で活発なサンゴの造礁活動があり、広範囲にサンゴ礁が形成されました。海岸線近くの薄いサンゴ礁の下には泥炭層があり、水分を通さない構造になっているため地下水位が高くなり、低層湿原が形成されています。

緑の苔に覆われた高層湿原（小花之江河）

霧の中の花之江河

水苔の絨毯花之江河

【天空の庭園・高層湿原の花之江河】

　安房林道の標高1230mの紀元杉を通過し、淀川登山口まで車が入れます。入り口から徒歩で淀川小屋まで進み、小屋からの急登を耐え、登りきると絶景が待っています。名勝・小花之江河と花之江河の高層湿原です。背の低い白骨樹、白い花崗岩と緑の苔が相まって箱庭のような光景が展開します。「この地を踏まずして、屋久島の素晴らしさは語れない」私にとって、この地は大好きな場所です。

（3）雲霧林が育む豊かな生物相

世界有数の雨　屋久島を取り巻く海は黒潮の本流です。北進する黒潮に伴われた暖かい湿った空気は、高山を持つ屋久島の山塊に突き当たり、雲や霧をつくり、世界有数の「雨」をもたらしています。

雲霧林とは　雲霧林は、不断に雲のかかる場所に発達し、高い湿度と適当の冷気のために林木の高所にまでコケ類や地衣類（サルオガセ）が密生した森林をいいます。屋久島の700〜1500mのスギを主とした針広混合林に雲霧林が見られます。

　屋久島の魅力は、なんといっても中間山岳地帯の屋久杉をはじめとするモミ・ツガ・ヤマグルマ・ヒメシャラなどの巨木で代表される樹林帯です。標高600〜1700mは暖帯性雲帯林帯・温帯性雲帯林帯として、鬱蒼と茂った樹海が広がっています。

雲霧林の主役サルオガセ（猿麻桛）　屋久島の代表的な景観をつくっている雲霧林帯の主役はスギの枝にぶら下がったサルオガセ属の地衣類の一群です。全長2cmから1m、糸状でとろろ昆布に似ています。温帯から寒帯の多湿の山地で、多くは針葉樹に付着、互いに絡まりあって懸垂し、群生します。淡緑色で、分枝して細く、老成部に多数の輪状紋を持っています。乾かしたものを松蘿（しょうら）といい利尿剤にします。また、下苔・キツネノモトユイ・クモノアカ（さがりごけ）ともいわれています。

雲霧林は世界有数の「雨」をもたらす

【海外の雲霧林】
　海外の雲霧林は、ニューギニア中央山脈・熱帯アジア（ネパール・ブータン）の高山中腹などに発達しています。世界遺産では、中米のコスタリカからパナマにかかるタマランカ地方（ラ・アミスター国立公園）の雲霧林が有名です。「雲霧林が育む豊かな生物相」と評価され、世界自然遺産に登録されました。

緑の苔に覆われた屋久杉の大枝

枝にぶら下がった地衣類（苔）

多湿の環境で育ちやすい地衣類

【地衣類とは】
　植物分類学上の一門。菌類と藻類との共生体を成す植物の一群。共生しつつ樹皮・岩石に付着する。熱帯・温帯および南北両極から高山の頂上に及ぶ。ウメノキゴケ・サルオガセなど。

（4）屋久杉の巨樹・著名木

屋久杉と小杉の呼称　屋久島では杉が樹齢1000年を超えているか否かによって「ヤクスギ」と「コスギ」に区別する概念があります。

名前の付いたスギ　名前の付けられた著名木には、縄文杉・ウイルソン株・夫婦杉・大王杉・紀元杉・弥生杉などあり、それぞれの樹形・枝の形状・周辺の地形・調査者や関わりのある人の名前をいただいて名付けられたヤクスギたちです。

ヤクスギ林の特異性　杉（スギ）はスギ科スギ属のスギで、津軽半島から屋久島まで生育・分布している日本固有の植物であり、屋久島が南限地です。

世界自然遺産の根拠　世界自然遺産の根拠としては、屋久島のスギ原始林での高齢樹を含めて、同時に優れた生態系としての森林をつくっていること、さらに、過去に伐採が入った時代もありますが、一斉皆伐を防止し伐採跡にお礼杉を植えるなど、自然と人の共生も高い評価を受けています。

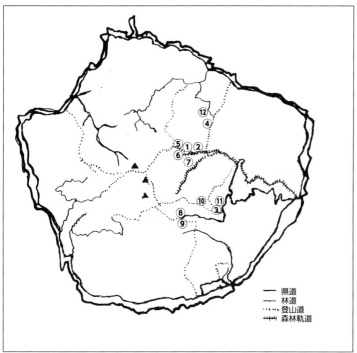

ヤクスギの巨樹・著名木の生育場所位置図　※右の写真と対応します
＊屋久杉の巨樹著名木については、屋久町屋久杉自然館において、森林計測学的からみた調査データが編集・発行されている

屋久杉の巨樹・著名木

紀元杉の昔（1995年頃）　　紀元杉の今（2020年頃）

ヤクスギの巨樹・著名木の保全はどうあるべきか

【保護策の考え方】
　自然はたえず変化している。また、栄枯盛衰もある。人為的に積極的保護策を加えるべきか否か、自然に任せるべきかどうかが難しい。ただ崩落・落下事故は避けなければならない。

❺ 縄文杉　❻ 大王杉　❼ 翁杉　❽ 紀元杉
❾ 川上杉　❿ 美穂野杉　⓫ 双子杉　⓬ 弥生杉

屋久杉の巨樹・著名木

（5）屋久島の自然の混沌さの魅力

混沌さの魅力　屋久島の自然を概観して青山（1997）は「異端的、例外的、過渡的、雑多さ、中途半端さといった、とらえどころのない属性が屋久島の魅力である」と述べています。このことは、屋久島の諸々の特性が成せる業と思われます。

縄文杉の推定樹齢の諸説　異端的存在のヤクスギの巨木に、推定樹齢7200年ともいわれている「縄文杉」も入っています。縄文杉については、複数の木の合体木だとする説、枯死した親木に子や孫が宿り、その結果何世代かの組織が混じりあった「1本の木」のようになっているという説などいろいろあります。一方、推定樹齢7200年について、田川（1999）は、「これを否定する科学的証拠は出ていない」といっています。

混沌さが現れる環境　高地に生育する矮小植物群。雲霧林がもたらす激しい例外的な大雨。屋久島の環境の中で進化しながら過渡的過程を示している固有種・固有変種の多さ。分布の南限種と北限種が混じりあう雑多さ。高地のヤクザサ帯には不連続分布で、九州本土に見られない多くの北方系の植物が見られる中途半端さです。また、そのいずれもが桁外れの珍しい自然ということができます。

【屋久島の特性】
　屋久島の自然の混沌さの要因は、異端的（正統からはずれていること）・例外的（通例の原則にあてはまらないこと）・過渡的（ある状態から別の状態へ移り変わる途中であるさま）・雑多さ（種々のものがゴタゴタといりまじっていること）・中途半端さ（物事の完成までに達しないこと）をいいます。
　※項目の数字は右ページの写真と対応しています
① 屋久島の気候は、低地は亜熱帯に属し年間を通して霜を見ることはないが、高地は多量の積雪が見られ、3月頃まで谷には1〜2mの根雪があることがある。異端的。
② 標高約500〜1800mには杉の大森林があり、中には樹齢1000年を超すスギが多数見られます。例外的。
③ 屋久島の東側には黒潮が北上しており、その暖流から立ち上る水蒸気は、屋久島の山地の冷気に触れて霧となり、大量の雨を降らし世界有数の多雨地となっている。例外的。
④ 屋久島及びその周辺を通る台風は年4〜5回に及び、スギの大木の枝葉を吹き飛ばすなど、植生に影響を及ぼしている。高地のスギは白骨樹という。異端的・例外的。
⑤ 一般的には地上に生えるスギ、ヤマグルマ、ヒメシャラ、その他の多くの低木類が、樹上着生している珍しい現象が見られる。例外的・異端的。
⑥ 高地の林内、湿原、草原などには普通の植物の数分の一まで矮小化した植物が多いのも、他では見られない珍しい現象。異端的・例外的。
⑦ 屋久島を分布の北限または南限とする植物が多く、温度にこだわる植物の葛藤が垣間見える。中途半端さ・雑多さ・過渡的。
⑧ 固有種、固有変種の存在。屋久島という環境に適応・進化し、子孫を残した結果の証。過渡的。

①雪の永田岳（高地は雪山でも低地は亜熱帯）

②杉原生林（樹齢1000年を超す大森林）

③雲と雨（湿った空気が山にぶつかり雲をよぶ）

④弥生杉（上部は白骨化、下部は健全）

⑤取り付く着生木
（地上に生える低木樹が樹上に着生）

⑥ヒメカカラ（黒味岳）
（高地には矮小化した植物が多い）

ナナカマド（南限）

シャクナンガンピ（高地）

タシロルリミノキ（北限）

カンツワブキ（低地）

⑦（屋久島分布の北限と南限のせめぎ合い）

⑧（屋久島の環境の多様性が固有種を生む）

屋久島の自然の混沌さ

第3章 屋久島の動植物

ヤクシカ

屋久島唯一の大型哺乳類

ヤクシマザル

ニホンザルの南限種

← ヤクシマシャクナゲ

屋久島を代表する名花

　屋久島の自然に目を向けるとき、目の当たりにするのは動物・植物を含む風景です。この風景は、さまざまなもので構成されていますが、その総体が、屋久島の自然の現在の姿であることは間違いありません。山あり谷あり、そして草木に動物、雨や雪など、自然は具体的にはそのような存在です。

　ユニークな話題性を持つ、屋久島の自然景観や植物相は、数多くの研究者の文献や美しい写真で書籍になり、豊富に紹介されてきました。しかし、屋久島の動物相は、同じ南西諸島に属する奄美・沖縄諸島と比較して話題性に富むものが少ないこともあり、自然遺産的評価は低調でした。そのような事情から、屋久島の動物相についてはあまり詳しく紹介されていません。しかし、自然界の仕組みやまとまりとしての生態系を理解するには、動物の存在も無視できません。現状では、動物についての情報が少ないことを強く感じます。

　この章では、屋久島の生態系をかたちづくる動物と植物に焦点を当て、特に動物相は脊椎動物と無脊椎動物に分け、情報を加えることで、屋久島の動物界の全体像を俯瞰できるように工夫してみました。

1．屋久島の動物
Ⅰ．脊椎動物（魚類・両生類・爬虫類・鳥類・哺乳類）

　脊椎動物とは、私達ヒトを含む動物界の仲間で、脊椎（背骨）のある動物たちをいいます。この脊椎動物門は魚類・両生類・爬虫類・鳥類・哺乳類で構成され、各綱として分けられています。

　生物を分類するときには種を基本単位とした「分類の階段」が定められ、類縁関係にもとづいて、種・属・科・目・綱・門の各段階を設けてまとめます。必要に応じて、亜目・亜綱・亜門など中間段階を設けることがあります。

　屋久島の自然を紹介する場合の動物たちの情報としては、これまでは、哺乳類の猿や鹿、爬虫類の海亀などが主になっていました。しかし、屋久島にはその他にも、中・小型の哺乳類や鳥類、爬虫類、両生類、魚類などの動物たちが生息し、屋久島の健全な生態系をかたちづくっています。このことは、第一章、生態系（30ページ）に記載した「生態系の平衡」に重なります。平衡とは、釣り合いがとれていることを指します。健全な生態系は、特定の種類が急に増殖するようなことはありません。

　ここでは陸生野生動物の脊椎動物（哺乳類・鳥類・爬虫類・両生類）の話題を掘り下げて紹介します。

【脊椎動物の生物学的記述】
　脊椎動物とは、動物界の一門、脊椎を身体の中軸として体躯を支持する動物。体は左右相称、頭・胴・尾・四肢の別があり、頸のあるものもある。頭には口・外鼻孔・眼・耳・鰓孔そして胴の後部に肛門などがある。魚類・両生類・爬虫類・鳥類・哺乳類に分ける。

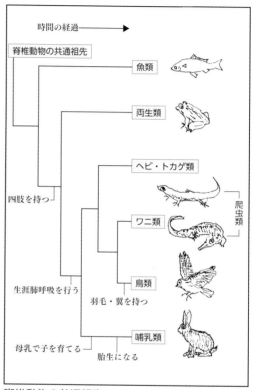

脊椎動物の共通祖先

脊椎動物の共通祖先

	脊椎	四肢	呼吸	羽毛・翼	母乳	増え方
魚　類	あり	なし	えら	なし	なし	卵生・水中
両生類		あり	えら（幼生）肺・皮膚（成体）			
ヘビ・トカゲ類			肺			卵生・陸上
ワニ類						
鳥　類				あり	あり	
哺乳類				なし	あり	胎生・陸上

両生類	アマガエル	ヤクシマタゴガエル	ニホンヒキガエル
爬虫類	トカゲ	シマヘビ(黒化型)	アカウミガメ
鳥類	アマサギ(夏鳥)	カルガモ	ヤマガラ
哺乳類	アカネズミ	ヤクシマザル(仲間)	ヤクシカ(親子)

屋久島の脊椎動物

（1）地史と動物相

屋久島の生い立ち　大昔の屋久島や種子島は大隅半島南部と陸続きの時代がありました。現在の地図で見られるように、鹿児島県の大隅半島と薩摩半島・屋久島・種子島周辺海域は、水深200mの線より浅く、古地理図では古屋久半島と呼ばれています。およそ二万年前のウルム最盛期（第Ⅲ亜氷期）には海面が150m程下がったといわれ、現在の大隅海峡は陸橋になっていた時代があります。その後の海面上昇により周りが海になり、現在のような島嶼になったといわれています。

屋久島の成り立ちと動物相　遠い過去に九州南部と陸続きであったため、屋久島の動物相の構成は、本土九州の動物相が基礎になっています。陸上を徘徊するほとんどの脊椎動物で、九州本土との共通性が確認されています。しかし、九州本土のごく普通の草食獣のノウサギや肉食・雑食獣のタヌキ・キツネ・アナグマ・テン・イノシシなどは見られません。この現象は屋久島の動物相のミステリーの一つです。

亜種に分化　一方、分離による島嶼化によって地理的隔離が起きやすい場所であり、その結果、動物相には亜種化が見られます。

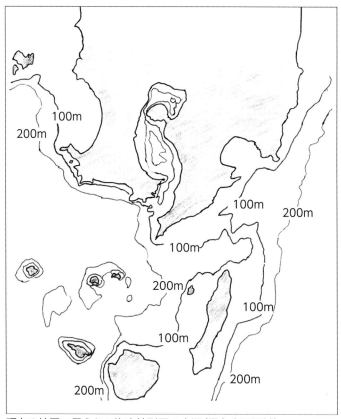

現在の地図で見られる海底地形図の水深（屋久島周辺域）

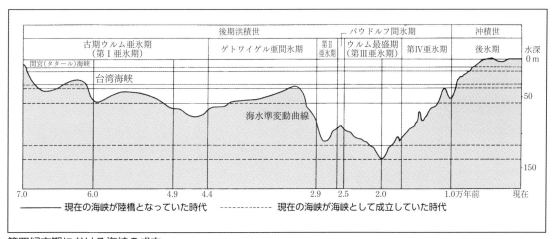

		後期洪積世				パウドルフ間氷期			沖積世	

第四紀末期における海峡の成立

【第四紀における海峡の成立】

　地質時代の後期洪積世・沖積世に氷期、間氷期を繰り返し、ウルム最盛期（第Ⅲ亜氷期）は、海面が150m近く下がっています。また、左図の海底地形図を見て分かるように、大隅半島と種子島・屋久島の間の水深は200m以内と浅く、古地理図では古屋久島半島と表記されています。

ニホンジカ（種）→ヤクシカ（亜種）　　　ニホンザル（種）→ヤクシマザル（亜種）

亜種化した脊椎動物

【亜種化した脊椎動物】

　屋久島の哺乳類相は、シカ・サル・モグラ・ジネズミ・アカネズミ・ヒメネズミ・イタチ等が生息します。しかし、九州本土と分離された島嶼のため遺伝子の交流がなくなり、ヤクシカ・ヤクシマザル・ヤクシマモグラ・コイタチなどの亜種化が進みました。鳥類相では、飛翔能力の弱い種類・長距離移動を好まない鳥類のヤクシマヤマガラ・ヤクシマカケスそしてタネアオゲラや、両生類相のタゴガエルの亜種としてヤクシマタゴガエルがあります。

（2）動物の垂直分布

生物の垂直分布　生物の生活域は環境の変化に応じて、生活様式の違うものが忠実に分布域を分けているのが普通です。生物の垂直分布で分布域の区分けの最も忠実なのは植物で、次いで食物の種類の限られた昆虫やクモなどの小型の節足動物になります。これに反して獣とか鳥などは移動能力がすぐれ、食物の種類も豊富であり、体の大型のものほど広い垂直帯を生活域としています。

植物の分布に対応する動物分布　屋久島全体は地図が示すように平地が少なく、ほとんどが山地になっています。植物の垂直分布は、低い方から亜熱帯多雨林、照葉樹林、夏緑樹林、針葉樹林に分けられています。陸上において、植物は動物や菌類などの多くの生物の食物や生息場所になり、動物の生活に大きな影響を与えます。このこともあり、動物にも垂直分布が多少見られ、植生環境に対応し、適応した動物たちが生息しています。

永田岳山頂部付近の鹿道
（鹿道と登山道が混在する）

マングローブ域に見られるシカの足跡
（生理的に塩分を補給するために出没する）

シカの生息域は海岸線から山頂部まで

【動物の特性である行動能力が垂直分布を決定づける】
　動物は生き続けるため、すむ場所を選ぶ（生息場所）、食べる（摂食）、身を守る（防御）、子孫を残す（繁殖）などの行為をしなければなりません。これらを動物の本能といいます。生活するためには植物分布は大切な要因です。動物の垂直分布となると、生息環境の気候条件（標高の温度差も大きな要因）が重要になります。動物たちは、動物の本能行動である防御、探索、母性、摂餌、生殖などの本能を満足できる環境を選んで移動します。また、動物は本能に左右され自由に移動する生き物のため、植物ほどはっきりした分布は見られず、やや緩慢です。

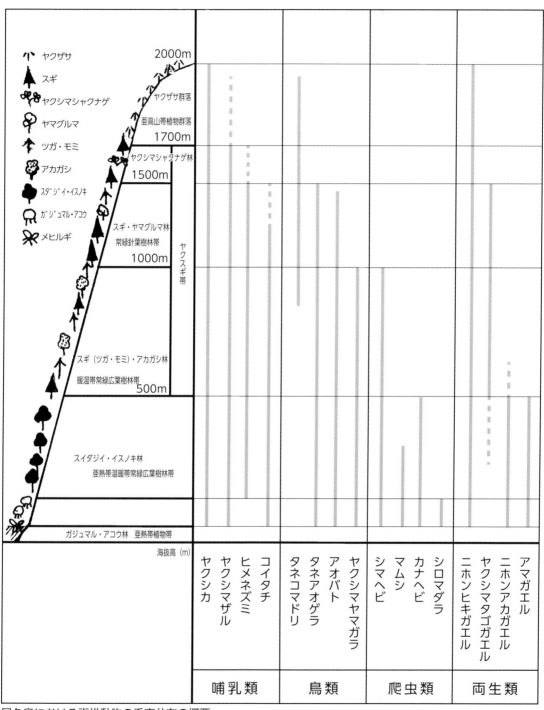

屋久島における脊椎動物の垂直分布の概要

（3）屋久島の哺乳類分布のミステリー

哺乳類分布のミステリー　　屋久島の哺乳類分布のミステリーとして、九州本土に生息する大型や中型のイノシシ・タヌキ・キツネ・アナグマなどが生息していません。その原因はいまだに解明されていませんが、屋久島の地形や生息環境と因果関係があるようです。

　地形は、島のほとんどが海岸線から急激に急峻な山になっており、広大な平野部はほとんどありません。海岸線にあるわずかな平地の背面は、山側からの深い峡谷や河川で細かく寸断されています。

動物の移動を阻む障害物　　地面を徘徊する動物たちにとって特殊な地形は障害物になります。一見、わずかな障害物（バリアー）でも移動範囲が制限されます。例えば、動物園の開放的な展示法の無柵放養式は、動物の移動能力や習性を採り入れた展示法です。哺乳類は一般的に水・段差・隙間を嫌います。その結果、見かけ上ごく自然らしい展示が可能になっているのです。

生息の環境要因　　屋久島の環境は森林性の哺乳動物には適しますが、草原性動物に適する環境が少なく、生息には適していません。動物の生息地は、生息環境や餌資源などに大きく左右されています。

平川動物公園のアフリカ園　　平川動物公園のテナガザルの島

動物の移動を阻むバリアー効果（動物園の放養式展示法の事例）

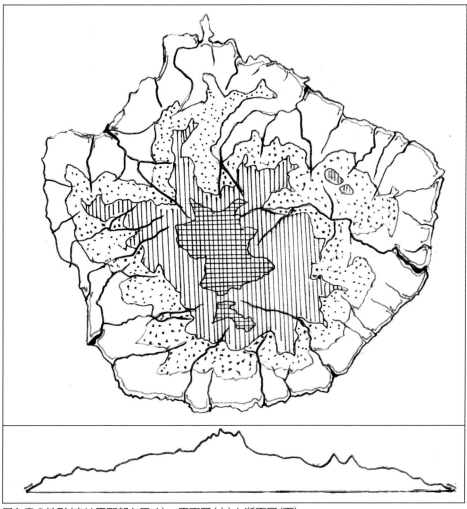

屋久島の地形（赤は平野部を示す）・平面図（上）と断面図（下）

動物の移動を阻むバリアー効果の複雑な要因

（4）　ニホンザルの亜種ヤクシマザル

日本列島で最も南に生息するサル　屋久島の猿の童話で、児童文学者の椋鳩十先生の「ヤクザル大王」があります。ヤクシマザルはニホンザルの亜種で、ニホンザルの南限種です。

　ヤクシマザルは、本土のニホンザルと比べ、小型でずんぐりしています。体毛は長く粗く暗灰色を帯びています。前後肢はほぼ同じ長さで、樹上も地上も同じように行動できます。頭の毛が豊かで顔全体が四角く見えます。メスの手や足の毛も黒っぽいようです。また、生まれたての仔は毛色が濃く、黒っぽいのが特徴です。

ヤクシマザルの生態の昨今　30頭前後の群れで活動し、低地の照葉樹林から高地の屋久杉林やササ地まで広く分布しますが、冬期は低地に移動します。昔の屋久猿は人前には姿を現しませんでした。

　私の体験談です。1962（昭和37）年秋、鹿児島大学山岳部の1年生部員として初めて屋久島を訪れました。その後数年間、沢登り、雪山を体験し、屋久島の自然の魅力を堪能しました。不思議なことに、その頃は、ヤクシカにはたびたび遭遇したものの、ヤクシマザルの姿は一度も見ていません。正確に言えば、昭和38年の秋山合宿での永田歩道から見下ろすトリゴエ谷の沢を、けたたましく叫びながら移動する群れを、姿は見えませんが枝の揺れから存在を感じとり、興奮したことを思い出します。

慣れ合う人とサル　　　　　　　　　　　　　　　餌（菓子）をねだるサル

ヤクシマザルの行動・習性の変化（人間の対応による変化）

【屋久猿は厄猿か？】
　こんな猿に誰がした。筆者の体験談（1962〜2020年）と合わせながら話を進めます。
　1962年から30年後の1992年はどうだったか、安房林道の恐喝猿、農家の果樹園を荒らす泥棒猿、人間を恐れない西部林道の人馴れ猿、屋久島の猿社会は大きく変わりました。
　なぜこのようになったのか、それは「人間社会の仕業」ともいえます。昭和30年から50年代前半にかけて、標高1000m以下の森林の大面積伐採が大きな原因といわれています。ほかに、安房林道の猿のように観光客向けの「餌付け」や、西部林道の猿のように初期の頃の研究目的の人慣らしと密着が原因で、人を怖いものと思わなくなったのです。これら全てに人間社会が関わっています。
　近年は、世界自然遺産登録により、観光客のマナーとして「餌付け」がなくなり、屋久島の猿は人間に対し紳士的になりました。2020（令和2）年の現在は恐喝猿や泥棒猿の姿は消えています。人間社会の対応により、ここまで変えられるということを教訓として教えています。

【 ヤクシマザルの一般的生態と体型 】

前後肢はほぼ同等の長さで、樹上
も地上も同じように行動できる

仔を気遣う母ザル

雄成体の頭の毛が豊か
で顔全体が四角

雌成体のナミ毛の頭
（成熟雌の特徴）

樹上からの見張り役

くつろぎ、休息する血縁家族

 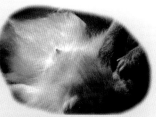

雨に濡れた群れ（毛が蓑の役割をしている）

雨は表面を流れ、中のにこげ（和毛・
柔らかい毛）は濡れない

赤ん坊の運び方

生まれたては腹に
つかまっている

大きくなると、母ザ
ルのお尻につかまる

（5）ヤクシマザルの生態《屋久猿百態》

写真で読み解く生態　屋久島の動物の紹介は、まず代表的な鹿と猿から始まります。また、猿は人間に最も近い仲間であり、親しみもわくからでしょう。この本のテーマと目的は、複雑な内容や生態を「ビジュアル的」に図や写真で紹介することにあります。さらに、「図（写真）と文章がセット」となり見開きで内容を読み解けるように工夫しました。

屋久猿百態　ここでは「屋久猿百態」という欄をつくり、写真によるヤクシマザルが示すさまざまな姿態や様子（姿）を生態写真で紹介するコーナーにしました。

　内容は、ヤクシマザルの体形と体色、社会行動、食、性にグループ分けをして説明を加えました。ヤクシマザルの生態については、河合雅雄（1969）『ニホンザルの生態』を参考に観察を進めました。

【 ヤクシマザルの社会構造 】

血縁関係が社会構造の柱を成す

家族単位で移動する

リーダーは尾を上げ、威厳をもって歩く

マウンティング行動（交尾姿勢ではない）
マウンティングで、上位のサルが下位の背に乗る行動

親愛の表現グルーミング（ノミ取りではない）

【 群間のいがみ合い 】

隣接する群れ間のいがみ合い

A群の数匹がB群へ近づいてくる

再びグルーミングをし合い平穏を取り戻す

B群全頭で追い払う

【 群れ内のちわげんか 】

なにかのトラブルでいがみ合う

互いに攻撃姿勢を取って叫び合う

寂しそうな独り猿
（群れから追い出された個体）

群れの中の老婆
（毛並みが悪い）

75

【 食 性 】

頬袋にいっぱい餌をためる

バリバリの実

頬袋を手で押し込んで一個ずつバリバリの実をかみ砕いていく

ヤマザクラのサクランボ採り

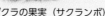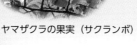

ヤマザクラの果実（サクランボ）

果肉でなく堅い殻の中の種子を食べる。殻をかみ砕く音がする

モクタチバナの実を食べる

ツバキの花の蜜を舐めた痕（サルのフィールドサイン）

コシダの葉を食べる

イヌビワの新芽を好んで食べる

サカキの葉を食べる

昆虫食（石を掘り起こし、下に潜む昆虫を食べる）

授乳中

【性】

秋になるとオスの睾丸が赤く色づく
（繁殖期のシグナル）

秋になるとメスの尻と内股が赤く色づく（繁殖期のシグナル）

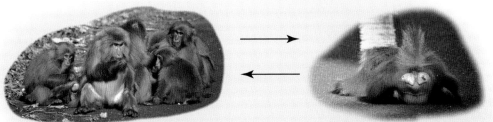

興味を示さないメス・仔ども集団

群れの眼前で意図的に睾丸を見せつける。
何の駆け引きか？

【 交尾行動（様）】

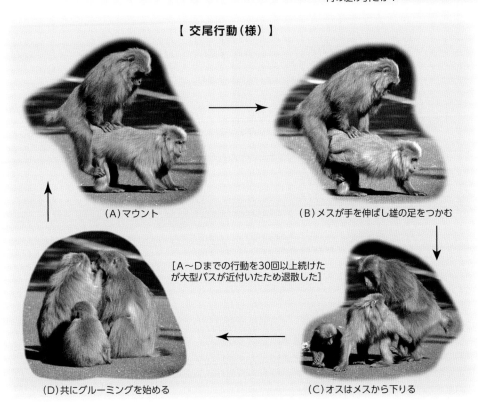

（A）マウント

（B）メスが手を伸ばし雄の足をつかむ

［A〜Dまでの行動を30回以上続けたが大型バスが近付いたため退散した］

（D）共にグルーミングを始める

（C）オスはメスから下りる

（6）ニホンジカの亜種ヤクシカ

日本最小のニホンジカ　　児童文学者の椋鳩十先生の作品に『片耳の大鹿』があります。利口で巨大なヤクシカの雄を主人公にした物語であり、椋先生が屋久島の猟師に聞いた話をもとに創作された童話です。

　ヤクシカは、屋久島の野生動物で最も大型の動物ですが、とても優しい雰囲気をもった動物であり、出会うとその姿に一瞬見とれてしまいます。

　ヤクシカは、屋久島だけにすむニホンジカの亜種で、日本産のシカでは最も小型です。本種は海岸線に近い低地から、宮之浦岳の山頂部まで広く見られます。食性は、下生えの草や木の葉が主です。出産期は５月下旬〜７月上旬で、普通１仔を産みます。

雄は角があり雌は無角　　形態は、顕著な性的二型を示し、オスは角を持ち、メスは持ちません。夏毛は茶褐色に白い斑点があり、冬毛は斑点が消え濃い褐色になります。黒い毛で縁取られた大きな白い尻斑を持っています。

　秋の交尾期にはオスは頭を上げ"フィー"と甲高い澄んだ声で鳴きます。鳴き声は遠く谷間に響きます。

えびの高原のキュウシュウジカ　　馬毛島のマゲシカ
ニホンジカの仲間たち

【鹿児島県に生息するニホンジカ】
　鹿児島県のニホンジカには、薩摩半島・大隅半島全域に分布する亜種キュウシュウジカ、種子島の亜種タネジカ、馬毛島の亜種マゲシカ、屋久島の亜種ヤクシカがある。キュウシュウジカ・タネジカ・マゲシカは体型・遺伝子的にほぼ類似している。さらに馬毛島のマゲシカは自然分布ではなく、過去の時代（鎌倉時代頃）から鹿児島本土のキュウシュウジカや種子島の亜種タネジカが人為的に導入されたものである。屋久島のヤクシカは、他のキュウシュウジカとは体型・遺伝子的に遠いものであり、森林生活に適したやや小型の体形である。

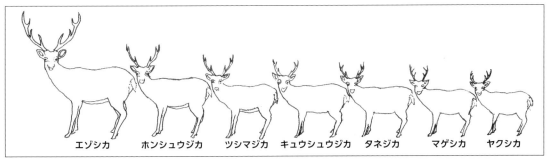

ベルクマンの規則によるニホンジカの体形比較

【ベルクマンの規則】
　ベルクマンの規則とは、地理的変異に見られる傾向を、気候などの環境要因と関連づける経験則の総称。例えば、温血性の脊椎動物では冷涼な地域に分布する個体群ほど体のサイズが大きくなるとするベルクマンの規則があります。ニホンジカでは、亜種を分けるとき、大きい方のエゾシカからホンシュウジカ、ツシマジカ、キュウシュウジカ、タネジカ、マゲシカそしてさらに小さいヤクシカが例として挙げられます。

シカの性的二形（雄は有角、雌と子どもは無角）

年齢による角の分枝

【シカの角と年齢】
　一般にニホンジカの雄では 0 歳は無角、満 1 歳で一本角、2 歳で 2 本に分枝した角（2 尖角）、3 歳で 3 尖角、4 歳以上になると 4 尖角が生えるとされています。しかし、ヤクシカではニホンジカと比べ多少の違いがあります。ヤクシカは分枝の増加にも年数がかかり、年を重ねても 3 尖が普通です。

（7）　ヤクシカの生態　《屋久鹿百態》

写真で読み解く生態　屋久島の動物の紹介は、まず鹿と猿から始まります。また、鹿は屋久島では最大の動物で優雅な姿を見せてくれます。ここでは「屋久鹿百態」という欄をつくり、ヤクシカが示すさまざまな姿態や様子（姿）を生態写真で紹介するコーナーにしました。

屋久鹿百態　内容は、体型と体色・社会行動・食・性と角についてグループ分けして説明を加えました。

夏毛(鹿の仔まだら)

冬毛

季節による体毛の色の変化

【 感情の変化と行動 】

仲間への威嚇姿勢

緊張時の尻尾(広げる)

注視 （警戒時）

【 転位行動（シカで見られる心の葛藤状態の表現） 】

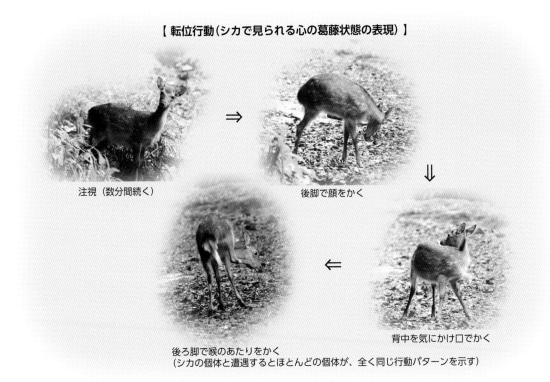

注視（数分間続く）

後脚で顔をかく

後ろ脚で喉のあたりをかく
（シカの個体と遭遇するとほとんどの個体が、全く同じ行動パターンを示す）

背中を気にかけ口でかく

【転位行動】

　例えば、闘争中のニワトリの一方が突如として地面をつついたり、なわばりの境界で威嚇し合っているトゲウオが急に逆立ちして水底の砂に穴を掘る行動を始めたりすることがあります。これは攻撃と逃避という二つの相反する衝動が伯仲した葛藤状態の結果として、全く別な摂食または巣作りの行動パターンが解発されたためです。このようにして起こる第三の行動を転位行動といいます。このような転位行動は、ヒトを含む多種の動物に観察されます。今回のシカとの遭遇の場合、写真で示すように注視・警戒の姿勢を続けた後、突然、頭をかいたり、背の毛を整えたり、顎をかいたりする行動をします。シカの場合、山中でばったり遭遇した時に全く同じ行動が一般的に見られます。このような時は、そっと見守ってあげましょう。

【 ヤクシカの生活痕のいろいろ（フィールドサイン） 】

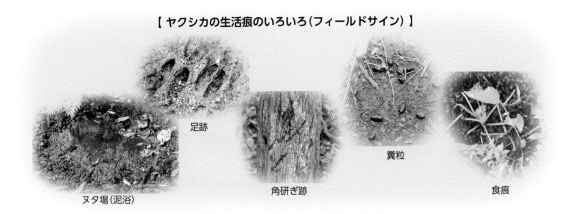

足跡

角研ぎ跡

糞粒

食痕

ヌタ場（泥浴）

【 食 性 】

反芻中の若い個体

反芻中の成獣

【反芻】
　脊椎動物偶蹄類の反芻類（ウシなど）で行われる摂食消化の形態で、一度嚥下した食物を再び口に戻して細かく破砕した後、再嚥下することを反芻といいます。これらの動物は、反芻胃という特別な胃を備え、消化困難な植物性食物の消化や、自然界では逃走によって敵から身を守ることの多い動物種の摂食形態として合目的といえます。反芻獣にはウシ科の他、シカ科・ジラフ科・ラクダ科などがあります。

【 食性行動のいろいろ 】

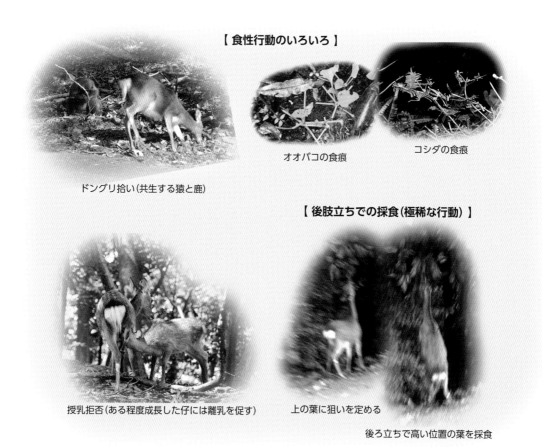

ドングリ拾い（共生する猿と鹿）

オオバコの食痕

コシダの食痕

【 後肢立ちでの採食（極稀な行動） 】

授乳拒否（ある程度成長した仔には離乳を促す）

上の葉に狙いを定める

後ろ立ちで高い位置の葉を採食

【 角の季節変化（角は初夏にもげ落ち、残った台座から袋角が生え出す）】

骨質角　　　　　　　　　　　　　　　　　　　　　　　　袋角

【鹿の角　年齢査定　袋角　性差】
　オスには角があり、３年目には短い枝が２本できます。この角は毎年生え代わり、太く長くなっていきますが、ヤクシカでは枝が４本以上になることはめったにありません。
　シカの角は、４〜６月に根元からもげ落ちてしまい、残った台座から柔らかい毛が密生した袋角が新しく伸びはじめます。袋角の内部は、血管だけでぶよぶよしており、赤く透き通って見え、いかにもやわらかそうですが、血液が石灰分を運んでどんどん沈着させ、次第に骨質の角を形成していきます。この袋角を中国では“鹿茸”と呼んで古くから強精剤（補精強壮薬）として珍重しています。８月下旬〜10月上旬には、皮がはがれて角が出来上がります。このころ、シカは角を木の幹にこすりつけて皮をはぎ取り、角を磨くのです。角に縦に入る不規則な溝は、血管の痕です。

【 野生の個体で見られた奇形の角 】

委縮した形状の骨質角　　　　　　　　　左角の無い個体（折れた痕跡はない。生まれつきか）

(8) 中・小型哺乳類

屋久島の中・小型哺乳類　哺乳類分布のミステリーとして、シカ・サル以外で九州本土に生息するイノシシ・タヌキ・キツネ・アナグマなどが生息していません。しかし、他の分類群の小型哺乳類は食虫類のジネズミ・モグラの2種、翼手類（コウモリ類）の7種、齧歯類（ネズミ類）の6種、肉食類のコイタチ1種が生息しています。

口永良部島から飛来する巨大コウモリ　エラブオオコウモリは本来の生息地は屋久島西方に位置し隣接する口永良部島です。稀に屋久島に飛来する個体があります。※定住はしません

人間の生活圏のネズミは外来種　ネズミ類の仲間で純粋の屋久島産のネズミはカヤネズミ・アカネズミ・ヒメネズミの3種であり、汎世界的に分布するハツカネズミ・クマネズミ・ドブネズミは世界中の人間の生活圏を多く利用して移動・分布するコスモポリタンといえます。この3種は純粋な "野ネズミ" ではありません。さらに正確に言うと外来種ともいえます。

屋久島の低地に生息するモグラ
（栗生キャンプ場のモグラ塚）

越境飛来するエラブオオコウモリ
（隣接する口永良部島からたまに飛来する）

地下から空中まで利用する哺乳類

【外来生物のヤクダヌキの問題】
　近年、屋久島では、本来生息していなかったタヌキが人間により持ち込まれ、現在、屋久島で大繁殖し、分布を広げ「ヤクダヌキ」と呼ばれています。道路網・橋の発達が起因しています。世界自然遺産の島での生態系保全が叫ばれる中、外来種問題は大きなイメージダウンになります。

ニホンジネズミ

エラブオオコウモリ

キクガシラコウモリ

【屋久島産哺乳類の分類の段階】（門・綱・目・科・種）

	目	科	種
哺乳類	食虫目	トガリネズミ科	ニホンジネズミ
			コウベモグラ
	翼手目	オオコウモリ科	エラブオオコウモリ
		キクガシラコウモリ科	キクガシラコウモリ
			コキクガシラコウモリ
		ヒナコウモリ科	アブラコウモリ
			ノレンコウモリ
			ユビナガコウモリ
			コテングコウモリ
霊長類		ニホンザル科	ヤクシマザル
齧歯類		ネズミ科	カヤネズミ
			アカネズミ
			ヒメネズミ
			ハツカネズミ
			クマネズミ
			ドブネズミ
	食肉目	イタチ科	コイタチ
	偶蹄目	シカ科	ヤクシカ

コキクガシラコウモリ

カヤネズミ

アカネズミ

コイタチ

クマネズミ

ヒメネズミ

屋久島産哺乳類の概要と分類表

（9）鳥類相

心を揺さぶる澄んだ声　テレビなどで、屋久島の自然を表す「音」として、タネコマドリの鳴き声が紹介されます。高地の針葉樹林で聞かれ、清涼感あふれ、余韻の残る屋久島を代表する小鳥です。山のベテランだけでなくごく一般的な登山客でも堪能できる「屋久島の音」です。

鳥類の生息環境　多くの鳥はそれぞれのすみ場所（環境）に適応した形態と習性を持っています。屋久島の鳥類相を語る時、すむ場所によって、森林性、草原性、湿地性の鳥などに分けることがあります。

　屋久島の鳥類相は森林性鳥類と海岸で見られる海浜性鳥類が主です。一部、平地性の鳥も加わります。生息地には垂直分布の傾向も多少見られ、屋久島の地勢や景観を考えれば、ある程度の理解はつかめると思います。また、鳥類は翼を持ち、種によっては地球規模の季節移動をすることが知られており、これらは屋久島にも飛来し、しばし留まります。これらの現象は、特別に「鳥類季節」として区分され紹介されます。

【鳥類の生態と鳥類季節】（留鳥・渡り鳥・旅鳥）
　鳥類の大きな特徴は、翼を持ち、種によっては地球規模の季節移動をすることが知られています。鳥類の分布や生態を整理したものが「鳥類季節」です。鳥の生活は年周期を通してみると、繁殖期と非繁殖期から成り、その間に渡りを行う移動性のものと、周年定着性のあるものとがあります。また、移動の観点から、渡り鳥（夏鳥・冬鳥・旅鳥）と留鳥（漂鳥・真留鳥・半留鳥）に区分されていますが、これらの区分は地方によって異なることがあります。例えば同一種であっても、地方により留鳥であったり、通過鳥に過ぎなかったりすることがあります。真の「屋久島の鳥」を定義することは困難ですが、留鳥と夏鳥の中の屋久島で繁殖する種を便宜的に、屋久島の鳥とすることができます。

| カイツブリ（留） | カワウ（冬） | アマサギ（夏） | ダイサギ（留） |
| チュウサギ（旅） | コサギ（留） | クロサギ（留） | アオサギ（留） |

屋久島における鳥類相と鳥類季節

カルガモ(冬・留)	ミサゴ(留)	トビ(留)	キジ(留)
オオバン(冬)	イソシギ(留)	チュウシャクシギ(旅)	キジバト(留)
ズアカアオバト(留)	カワセミ(留)	キセキレイ(留)	ハクセキレイ(冬)
リュウキュウサンショウクイ(留)	ヒヨドリ(留)	カワガラス(留)	ジョウビタキ(冬)
イソヒヨドリ(留)	ホオジロ(留)	ウグイス(留)	キビタキ(夏)
スズメ(留)	コムクドリ(旅)	ツバメ(夏)	ハシボソガラス(留)

(留)…留鳥、(冬)…冬鳥、(夏)…夏鳥、(旅)…旅鳥

（10）天然記念物と固有亜種化した希少鳥類

屋久島の希少鳥類　屋久島には国指定の天然記念物としてカラスバトとアカコッコがあります。また、伊豆諸島特産のムシクイ類としてイイジマムシクイがあります。この鳥は夏鳥として渡来し、大島から青ケ島に至る伊豆諸島で繁殖します。三宅島と御蔵島では特に多いとされます。分布の限られた種なので天然記念物に指定されています。渡りの時期には屋久島での記録があり、鳥類の最大の習性「渡り」がこれらの現象をつくっていると思われます。

　日本列島の気候図を参照すると、屋久島と伊豆諸島は同じ気候区に属し、黒潮（日本海流）や偏西風等の影響で気温や気象が一致しています。

島嶼隔離によって固有亜種化　屋久島で数万年前からの長期間の島嶼隔離によって亜種化した鳥類は、タネアオゲラ・ミヤケコゲラ・オガワミソサザイ・タネコマドリ・ヤクシマヤマガラ・シマメジロ・ヤクシマカケスなどがあります。

　亜種化する鳥類の特徴として、飛翔能力の弱い種や長距離移動を好まない種が見られます。

　一方、分布の不思議な現象として、日本でもほぼ全国で留鳥として繁殖しているシジュウカラが見られないのも屋久島の特徴です。このことは本土からの移入がまったく無いことを示しています。

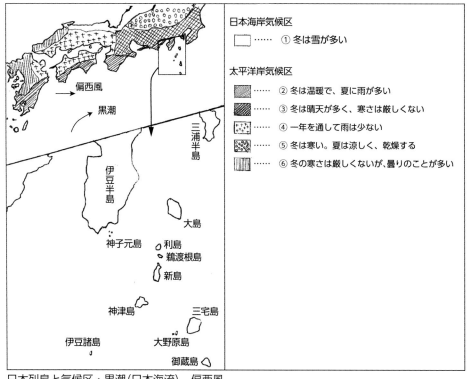

日本列島と気候区・黒潮（日本海流）　偏西風

カラスバト (天然記念物)

タネアオゲラ (亜種)

ミヤケコゲラ (亜種)

オガワミソサザイ (亜種)

タネコマドリ (亜種)

ヤクシマヤマガラ (亜種)

シマメジロ (亜種)

ヤクシマカケス (亜種)

屋久島の希少・特殊鳥類 (屋久島産と遠く離れた伊豆諸島産との共通種)

【鳥類の生物学的記載】
　脊椎動物の一綱。温血・卵生で、体制は爬虫類に近い。角質の嘴をもち、歯はない。体は羽毛で被われる。前肢は翼に変じ、多くは飛ぶのに用いる。心臓は四室から成り、大動脈弓は一本で右側にある。卵巣は左側のみが発達する。世界中至る所に分布し、約9000種。日本では18目500種以上が記録されます。

(11) 爬虫類相（ヤモリ類・ヘビ類・トカゲ類・カメ類）

屋久島の爬虫類　爬虫類のトカゲ類やヘビ類は、ほぼ九州産と共通しています。トカゲ類では、ニホンカナヘビ・ニホントカゲ、ヤモリ類でミナミヤモリとヤクヤモリが生息します。ヤクヤモリは1968年に新種記載されたヤモリです。屋久島はアカウミガメの世界一の産卵地です。

屋久島の毒蛇と無毒蛇類　ヘビ類では無毒蛇のメクラヘビ・タカチホヘビ・アオダイショウ・シマヘビ・ジムグリ・シロマダラ・ヒバカリと、毒蛇のヤマカガシ・ニホンマムシの９種が生息します。屋久島でのヘビ類との遭遇は偶然性が高く、夜行性のため人目に付きにくいこともあり、観察の機会が多くありません。特に西部林道の夜間通行禁止の規制もあり、車による移動・調査が不可能です。

最近出現した外来種　近年の温暖化に伴い、奄美諸島以南で見られていたキノボリトカゲの生息分布の広がりが気がかりです。屋久島でも生息が確認されており、外来生物として問題になっています。世界自然遺産の島での生態系保全が叫ばれる中、外来種問題は大きなイメージダウンになります。対策を急ぎましょう。

屋久島における外来種(キノボリトカゲ)の侵入

【地球温暖化と物流の関係か】
　近年、鹿児島県・宮崎県の海岸線に近い温暖な地域で、キノボリトカゲの生息が話題になるようになりました。自然界では潮流の関係で分布を広げることが知られています。屋久島でも本種の確認が続き、行政関係でも認知されています。人為的放置は考えたくありませんが、暖地に持ち込まれた場合、気温・餌環境・天敵・複数個体等の条件で分布を広げる場合があります。

【爬虫類の生物学的記述】
　脊椎動物の一綱。一般に陸上生活に適した体制をもち、体は鱗や甲で覆われている。四肢は短く、ヘビなどでは退化しています。変温性で、空気呼吸し、卵生あるいは卵胎生。現生のムカシトカゲ・カメ・トカゲ（ヘビを含む）・ワニの各目約6000種のほか、中生代に栄えた恐竜など多くの化石種があります。

屋久島産爬虫類の概要と生態写真

(12) 日本一のウミガメ産卵地

日本一の産卵地　海ガメは陸生の爬虫類ではありませんが、生物で最も大切な生殖活動である産卵行動を繁殖条件の限られた砂浜に頼っています。屋久島の海岸線は日本一のアカウミガメの産卵地です。特に屋久島の西側に位置する永田集落の「いなか浜」と「前浜」が有名です。ここでは、地元の大牟田一美氏をリーダーとする有志により、ウミガメの保護活動や長年の研究活動が成果を上げています。

ウミガメの母浜回帰　屋久島の東南に位置する栗生地区の海岸は、50年前までは最大の産卵地でした。しかし、港や護岸の人工物で環境が一変してしまい、ウミガメの「母浜回帰」の習性による悲惨な光景が見られます。ひたすら、この地（栗生海岸）に産卵しようとする親カメの足跡は痛々しく、水中に産み落とされた卵や殻が、無残に波打ち際に漂う姿があります。

　一方、アオウミガメの産卵地は日本では亜熱帯地域までで、上陸頭数は少ないですが、現在のところ屋久島がその北限になっています。例外的にこれまでに薩摩半島の南九州市頴娃町の海岸で産卵記録があります。

屋久島のウミガメ上陸地環境

【母浜回帰とは】
　全国規模で、各地のウミガメ産卵地の研究者が数年かけ標識調査を行いました。筆者も鹿児島県の長崎鼻海岸をフィールドとして調査に参加しました。標識調査で、亀は生涯を通して生まれた同じ浜に上陸する「母浜回帰」の可能性が強いことが分かったのです。

　標識を付けられた個体が、毎年か2年間隔で同じ浜に帰ってきて産卵するのです。このことは、それぞれの親亀にとって執着を持つ海岸があることがうかがえます。例えば、川で生まれた鮭は数年間海で過ごし成長して、自分の生まれた川に戻ってきて産卵し、一生を終えるといいます。海亀も鮭と同じように本能的に、自分の生まれた海岸に戻って産卵するようです。この習性のため、「母なる海岸」の保全は大切なことです。海岸線の無秩序な改変は慎みましょう。

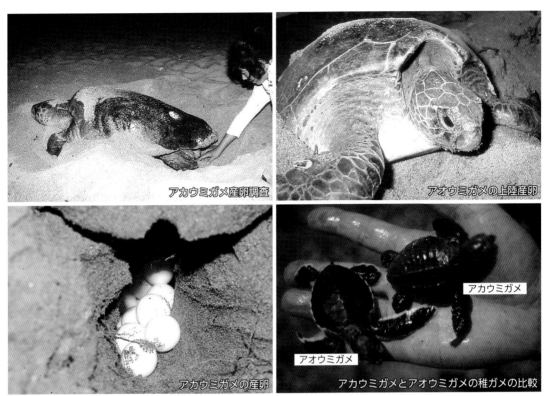

屋久島のウミガメ産卵状況

【アカウミガメとアオウミガメの違い】
　日本国内で産卵・繁殖する主なウミガメ類はアカウミガメとアオウミガメです。
　アカウミガメの頭は大きく、背甲は茶褐色で甲長は1mで、食性は肉食性、イカ・タコ・クラゲ・エビ・カニ類などです。
　アオウミガメの頭は小さく、甲長は1mぐらい、背甲は青っぽい灰褐色ないし暗褐色です。食性は草食性で、アマモや褐藻類です。名の由来のアオは甲羅の色ではなく、体脂肪の緑色に由来しています。

（13）両生類相

屋久島の両生類　両生類のイモリ・カエル類は、ほぼ九州産と共通しています。屋久島産として、イモリ類では、イモリ（アカハライモリ）が生息します。カエル類はアマガエル・ニホンヒキガエル・ニホンアカガエル・ツチガエルそして、1966（昭和41）年に学会で確認されたタゴガエルの亜種ヤクシマタゴガエルの6種があります。屋久島に生息するイモリ・カエル類は、ほとんどが日本での南限種になります。ツチガエルは近年の農業環境の変化に伴い、田んぼが急減し、現在は屋久島の永田集落のみが生息地として確認されています。また、屋久島産両生類で有毒成分を分泌する種類は、イモリ・アマガエル・ニホンヒキガエルがあります。

屋久島のヒキガエルの巨大化　日本産のヒキガエルには、本州東北部のアズマヒキガエルと本州西部の平地・四国・九州・屋久島・種子島に生息するニホンヒキガエルの2種がフォッサ・マグナを境として区分されています。ヒキガエルの事例では、北に分布する集団は小型で、南下するに従い大型になる傾向があります。国内のヒキガエルの生息地としては屋久島が最南端であるためこの巨大化の理屈は成り立ち、日本一の巨大ガエルが存在するのです。ニホンヒキガエルの繁殖期には、集団見合い、いわゆるガマ合戦が見られます。

帯状の卵塊　　幼生　　幼体　　成体

ヒキガエルの生活史（写真は花之江河）

【フォッサ・マグナとクライン】
　フォッサ・マグナとは、ラテン語で大きな裂け目の意味。中部地方で本州を横断する新第三系の地帯。わが国の地質構造上、東北日本と西南日本を分ける重要な地帯。火山帯がここを通っています。ナウマンの命名。糸魚川—静岡構造線はこの地帯の西縁を限る断層です。ヒキガエルも東北日本（アズマヒキガエル）と西南日本（ニホンヒキガエル）に分けられます。
　クラインとは、J. S. Huxley（1939）が提唱した分類学的形質の評価に関する概念です。明瞭な不連続的形質の差を有しませんが、その中に幅の広い変異が存在する一群があるときに、形質差が地理的分布に従っている傾斜を持てばトポクライン、生態条件の変化に応じて傾斜しているときはエコクラインといいます。これらの現象をクラインと総称し、同時にそれを示す多くの個体群を一括して一つのクラインに属するとします。動物で羽毛や毛皮の色彩など、この概念で扱うと理解しやすいようです。軽微な環境の差を逐次的に表現したものであり、そのいずれかの方向に進化傾向があるものと思われています。

屋久島産両生類の6種

ヒキガエルの集団見合い「ガマ合戦」

【ガマ合戦＝集団見合い】
　1995年3月13日の夜間調査時、荒川林道・軌道出会（標高600m）で、多数のオスとメスとの「集団見合い」の現場に遭遇しました。数十頭のヒキガエルが一堂に集まる、いわゆる「ガマ合戦」の現場です。"クークー…"と鳴きながら、特定のメスを奪い合うオス、おんぶを求めるオス、それを嫌い逃げるメス、オス同士のけんか、まさしくカエルのレスリングです。なかなか見応えのある光景でした。
　オスがメスに抱きつく行為は、交尾ではなく抱接といいます。オスはメスの産卵を助け、産卵された卵に精子をかけて受精させる体外受精です。

（14） タゴガエルの亜種ヤクシマタゴガエル

近年確認された渓流性のカエル　屋久島産の新種のカエルとして、1966（昭和41）年に学会で確認されたヤクシマタゴガエルがあります。ヤクシマタゴガエルはタゴガエルの屋久島産亜種です。本土に生息するタゴガエルよりアゴや四肢の腹面に暗色の斑紋が多く、水かきがより発達しています。成体のオスの体長は4.4cm、メスは4.8cmと少し大きいようです。

屋久島の高地にすむカエル　ヤクシマタゴガエルは低地では見られず、山地の標高600m付近から山頂に近い標高1800mまで分布します。繁殖期は10～4月、繁殖場所は渓流沿いの伏流水中です。渓流の岩石の隙間や植物の根の内側、ミズゴケの下を流れる伏流水中で、白色の球形の卵を産み付けます。繁殖期の水温は8～17℃。オスは繁殖期には脇腹のあたりの皮膚がたるむという特徴があります。地中の隙間に集まり、"クォッ・クォッ・クォッ"とか"コロ・コロ"という鳴き声を出します。地下から聞こえるため、地下水が流れる音と誤認されることがあります。

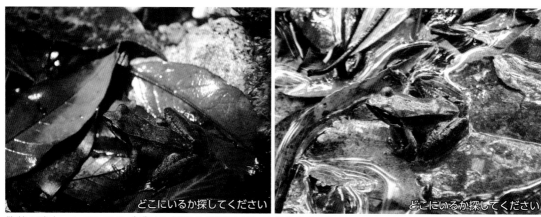

偽装の達人・ヤクシマタゴガエル（巧みに背景の色に体色を変える）

【忍者・雲隠れの術】
　屋久島には、周囲の景色に同化し姿を隠す「雲隠れの術」の擬装の達人・ヤクシマタゴガエルが生息します。動物が自分の身を守る方法・防御手段にも多種多様なものがあります。それは種の維持にとって重要なことです。あらゆる動物は常に敵に狙われる運命にあり、そのために自然選択によっていろいろな防御様式を確立したと考えられます。
　防御手段にもいろいろありますが、特に防御手段を持たない動物が自身の身を守る方法として野生動物全般に見られる行動に、消極的な方法で、「逃げる」「隠れる」「活動停止」「落下して逃避する」「集団になる」などがあります。一方、積極的な方法で、「保護色」により敵の目を欺くもの、「威嚇」するもの、忌避物質を出すものなどがあります。

生息地白谷川（白谷雲水峡）

沢沿いの苔むす環境

ヤクシマタゴガエルの生息環境と生息地（白谷雲水峡）

赤色

灰色

黒色

白色

ヤクシマタゴガエルの色彩変異の例（発見時のその場の背景に色を似せます）

2. 屋久島の動物

Ⅱ. 無脊椎動物

　無脊椎動物とは、脊椎動物以外の一切の動物の総称で、私たちの身の回りで普通に見られる動物の仲間、昆虫・エビ・カニ・クモ・貝・マイマイ・その他、諸々の小動物をいいます。種類数が非常に多く、小型で地味な動物群のため、研究者も少なく情報不足もあり研究が進んでいません。その結果、「絶滅のおそれのある動植物」の種を選定する「レッドデータブック」に掲載できない無脊椎動物の生物群も数多く残っています。

　無脊椎動物は、生態系や生物多様性の観点から見ると、とても重要な動物群です。屋久島の誕生から、運命を共にしてきた小さな生き物たちにも光を当て、その姿形や生き方に興味を注いでいただきたいのです。落葉落枝を分解し、養分に富んだ表土をつくる土壌動物や無脊椎動物（分解者）の存在も無視できません。

　ここでは、主に屋久島に生息する無脊椎動物の中の情報の多い、節足動物門・軟体動物門・一部の環形動物門について興味を広げてみました。概説では屋久島産ではない動物も加え、基礎的で一般的な内容を俯瞰できるように工夫しました。屋久島産の無脊椎動物は、観察できた種類であり、限られています。

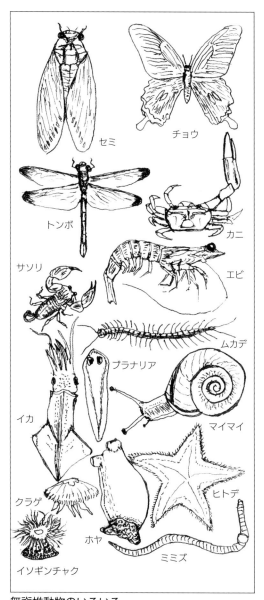

無脊椎動物のいろいろ
（節足動物・環形動物・軟体動物・原索動物・棘皮動物・刺胞動物・海綿動物・その他）

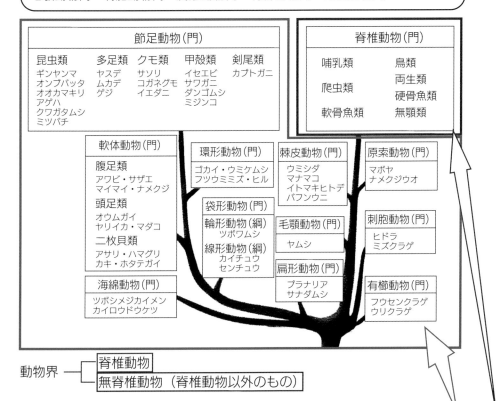

無脊椎動物（動物界の中の脊椎動物以外のもの）
節足動物門　軟体動物門　環形動物門　棘皮動物門　原索動物門　袋形動物門
毛顎動物門　刺胞動物門　扁形動物門　有櫛動物門　海綿動物門

動物界 ━━ 脊椎動物
　　　　　無脊椎動物（脊椎動物以外のもの）

【無脊椎動物の重要性:屋久島の生物多様性と生態系の平衡を保つために】

　屋久島の自然を表現するとき、屋久島の地勢からの特性として垂直分布やスギの原始林の話題や、固有亜種ヤクシカ・ヤクシマザルそしてアカウミガメなどの脊椎動物が中心になっています。屋久島が永遠に輝くためには、屋久島の生物多様性と生態系の平衡を保つことが大切です。そのためには無脊椎動物も重要な役目を果たしています。しかし、多くの無脊椎動物の仲間は、分類学的研究が進んでいません。原因は種類数が多く小型であり、定性・定量的判断が難しく、評価が困難なためです。生物多様性の保全を目的とするレッドリスト（絶滅危惧種）の選定などに支障をきたしています。種名も決まらない生き物たちが、人間社会が知らないうちに絶滅しないように、研究を急ぎたいものです。

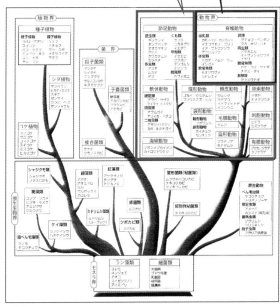

生物の系統

（1）節足動物門（昆虫類・甲殻類・多足類・クモ形類）の概説

地球上で最も繁栄している動物群　現在、地球上に生息する陸上動物のうち、最も繁栄している動物群は、動物界の系統樹で脊椎動物門と節足動物門です。さらに、進化系統の頂点に達しているのが一本目の脊椎動物門では「哺乳綱」であり、二本目の節足動物門では「昆虫綱」です。

祖先は海にすんでいた　節足動物の祖先は、海にすんでいたといわれています。体はたくさんの節に分かれていて、それぞれの節ごとの腹側に、一対の小さなあし（肢）を持っていました。このような祖先から、体の部分ごとに特殊化が起こり、いろいろなグループが進化しています。

　節足動物の仲間たち　節足動物の仲間には、カブトムシ・チョウ・トンボ・カマキリ・セミなどの昆虫類。エビ・カニ・ダンゴムシなどの甲殻類。ムカデ・ゲジ・ヤスデなどの多足類。アシダカグモ・ジョロウグモ・アヅチグモなどのクモ形類などがあります。

化石と生きた化石　生きた化石と呼ばれる現生のカブトガニや、はるか昔の古生代・ペルム紀（2億5000万年前）に絶滅し、現在、化石として残る三葉虫も節足動物の仲間です。

【節足動物の生物学的記述】
　節足動物とは、無脊椎動物の一門。一般に小型で、左右相称。多くの環節から成り、肢にも体節のあるものが特徴。外皮は硬く外骨格となり、その内側に筋肉が付着します。開放血管系を持ち、発育の途上で変態するものが多い。昆虫・コムカデ（結合）・ムカデ（唇脚）・ヤスデモドキ（少脚）・ヤスデ（倍脚）・甲殻・ウミグモ（皆脚）・クモ（蛛形）・カブトガニ（節口）などの諸綱に分けられ、地球上のあらゆる場所に分布し、その種類は全動物の80％を占めるとあります。

【絶滅危惧種の選定種から除外されている節足動物門】
　節足動物門の中の絶滅危惧種としての選定種は、研究の進んでいるカブトムシ・チョウ・トンボ等の昆虫類とエビ・カニ等の汽水・淡水産十脚甲殻類などの分類群だけです。一方、その他の多くの節足動物の仲間は、分類学的研究が進んでいません。原因は種類が多く小型であり、定性・定量的判断が難しく、評価が困難なためです。

　現時点では選定種から除外されていますが、生物多様性の観点からは、重要でないということではありません。一刻も早く、地球上のすべての生物種を明らかにし、保全策を試みましょう。

三葉虫

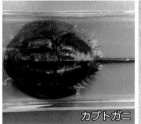
カブトガニ

サソリ

サソリモドキ

【節足動物門の分類の段階】（門・綱・目・科・種）

亜門	綱	亜綱	目
三葉虫様類	三葉虫形類		化石種
	三葉虫類		三葉虫類（化石種）
鋏角類	節口類	剣尾類	カブトガニ
	クモ形類	広腹類	サソリ類・カニムシ類・メクラグモ類・ダニ類
		柄腹類	コヨリムシ類・サソリモドキ類・ヤイトムシ類・カニムシモドキ・真正クモ類・クツコムシ類・ヒヨケムシ類
海蜘蛛類	ウミグモ類	真皆脚類	ヨロイウミグモ
大顎類	甲殻類	カシラエビ類	
		鰓脚類	
		貝虫類	
		ヒゲエビ類	
		橈脚類	ケンミジンコ
		鰓尾類	
		蔓脚類	カメノテ・エボシガイ・フジツボ
		嚢胸類	
		軟甲類	フナムシ・オカダンゴムシ
	唇脚類	整形類	ジムカデ類・オオムカデ類
		改形類	ゲジ類
	倍脚類	触顎類	フサヤスデ類
		唇顎類	タマヤスデ類
	少脚類（少足類）		ニワムシ・ヤスデモドキ
	結合類		ミゾコムカデ
	昆虫類	無翅昆虫類	トビムシ類・カマアシムシ類
		有翅昆虫類	トンボ類・甲虫類・鱗翅類

メクラグモ

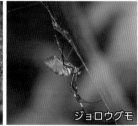
ジョロウグモ

カメノテ

サワガニ

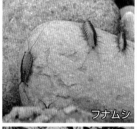
フナムシ

オカダンゴムシ

ムカデ

ヤスデ

トンボ

カブトムシ

アサギマダラ

クマゼミ

節足動物門の分類段階と節足動物のいろいろ

（2）昆虫類（綱）の概説

全動物種の約80％を占める昆虫　私たちの身の回りには、チョウ・トンボ・ハチなど、小さな生き物で満ちあふれています。昆虫の「昆」は、多い意で、種類が極めて多いことを示しています。昆虫類は、地球上の全動物種の約80％を占めるといわれています。学名の付けられたものだけでも大ざっぱにみて80万種くらいはあると推定されていて、まだまだ新種が見つかる可能性のある分類群です。

昆虫類の繁栄の秘密　昆虫が繁栄している秘密は、昆虫の《①独特な体制（機能的な翅・外骨格と環節構造・異質性体節制・小さな体と器官呼吸・感覚器官の発達）、②適応力の強さ（変態・形態の変化と機能の改善・多形現象）、③生活様式と生活史の多様性（生息場所・食性・寄生と共生・繁殖習性・防御習性・生活史と生活史の適応）、④感覚と本能の発達（昆虫の感覚・昆虫の行動・昆虫の本能）》にあるといわれます。

昆虫類の起源　昆虫類の起源には諸説ありますが、化石から見て、古生代のデボン紀には無翅のものが現れ、石炭紀の上半に多数の有翅昆虫に分化しています。昆虫類は空中に進出した最初の動物といえます。石炭紀には、翅を広げたときの長さが70cmを超える原始的な巨大トンボ（メガネウラ）も生息していました。さらに、地球上の自然の変化とともに昆虫たちもさまざまに変化・進化し、今日のような昆虫の仲間ができたといわれています。昆虫の大部分は陸生です。発育の途中で、顕著な変態をするのも特徴の一つです。また、六脚虫（六足虫）ともいわれます。

【昆虫類の分類の段階（綱・亜綱・下綱・上目・目）】

表1

綱	亜綱	下綱	上目	目
昆虫類（綱）	無翅昆虫類			①トビムシ目(粘管目)（約3500種）
				②カマアシムシ目(原尾目)（約450種）
				③ハサミコムシ目(双尾目)（約500種）
				④シミ目・イシノミ亜目(総尾目)（約340種）
				カゲロウ目(蜉蝣目)（約2100種）
				⑤トンボ目(蜻蛉目)（約5000種）
	有翅昆虫類	旧翅群	前変態類	⑥ゴキブリ目（約3700種）
			旧翅群-半変態類	⑦カマキリ目(蟷螂目)
			新翅群-多新翅類	シロアリ目(等翅目)
				シロアリモドキ目(紡脚目)
				カワゲラ目(せき翅目)（1700種）
				⑧バッタ目(直翅類)（約23000種）
				⑨ガロアムシ目
				⑩ナナフシ目
				⑪ハサミムシ目(革翅目)

表2

綱	亜綱	下綱	上目	目
昆虫類（綱）	有翅昆虫類	新翅群	新翅群-準新翅類	⑫チャタテムシ目(噛虫目)
				ジュズヒゲムシ目(絶翅類)
				ハジラミ目(食毛目)
				⑬シラミ目(虱目)
				⑭カメムシ目(半翅類)
				⑮アザミウマ目(総翅目)
				⑯アミメカゲロウ目(脈翅目)
				⑰シリアゲムシ目(長翅目)
			新翅群-貧新翅類	⑱トビケラ目(毛翅目)
				⑲チョウ目(鱗翅類)
				⑳ハエ目(双翅類)（約15万種）
				㉑ノミ目(隠翅目)（約1750種）
				㉒コウチュウ目(鞘翅目)
				㉓ネジレバネ目(撚翅目)
				㉔ハチ目(膜翅類)

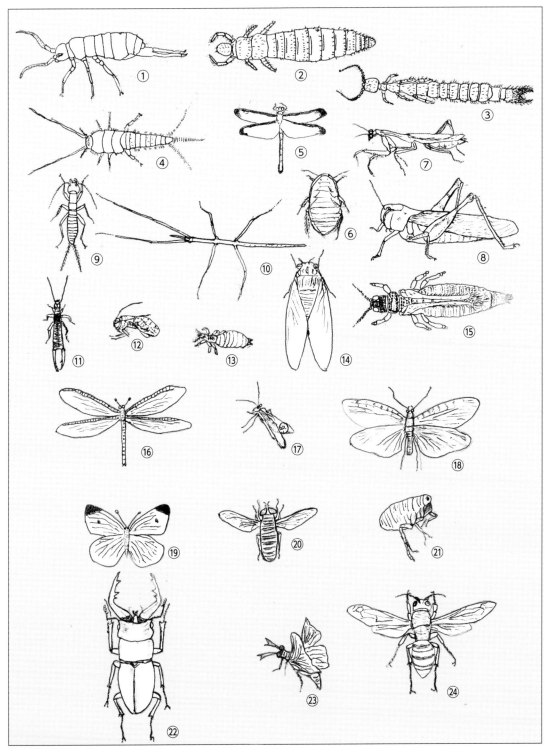

昆虫類のいろいろ

（3）屋久島の昆虫

屋久島の昆虫相　屋久島の昆虫相を知るには、昆虫の分布では、大きく見た地理分布と環境に重きを置いた生態分布を考えなければなりません。屋久島で見られる昆虫類については、目録作成が施行され既知種が3054種、調査が進めば4000種を超えると想定されています（改訂・鹿児島県の絶滅のおそれのある野生動植物　―鹿児島県レッドデータブック2016―）。

屋久島産昆虫の生態写真　筆者は門外であり、ここでは、屋久島の自然界で一般的に見られ、写真撮影・観察した身近な昆虫類の写真を紹介しました。屋久島の昆虫については、屋久島環境文化財団・中田隆昭（編）『屋久島の昆虫類生物ガイド』が参考になります。

【屋久島で見られる鹿児島県版レッドデータブック掲載種（昆虫類）】

昆虫綱

カメムシ目 キンカメムシ科アカスジキンカメムシ。

コウチュウ目 ゲンゴロウ科スジゲンゴロウ・ゲンゴロウ。**ハンミョウ科**イカリモンハンミョウ。**コガネムシ科**アカマダラハナムグリ。**カミキリムシ科**クロモンキイロイエカミキリ・クロモンヒゲナガヒメルリカミキリ。**ハンミョウ科**ハラビロハンミョウ。**コガネムシ科**ダイコクコガネ。**ゲンゴロウ科**オキナワスジゲンゴロウ。**ガムシ科**ガムシ。**カミキリムシ科**ヨツボシカミキリ・オオスミミドリカミキリ・カノミドリトラカミキリ・コブバネゴマフカミキリ・ハイイロホソキリンゴカミキリ・ヤクスギカミキリ。ツチハンミョウ科ヒラズゲンセイ。**ジョウカイモドキ科**イソジョウカイモドキ。クワガタムシ科ルイスツノヒョウタンクワガタ。**コガネムシ科**タネガシマホソケシマグソコガネ・シロスジコガネ。

ハチ目 ドロバチモドキ科ニッポンハナダカバチ・ヤマトスナハキバチ。**アリ科**サムライアリ。**ハキリバチ科**キボシハキリバチ。ミツバチ科奄美群島のニホンミツバチ。

チョウ目 シジミチョウ科タイワンツバメシジミ（本土亜種）・イワカワシジミ。**タテハチョウ科**オオウラギンヒョウモン・メスグロヒョウモン・コミスジ。**セセリチョウ科**ホソバセセリ。**ツトガ科**カワゴケミズメイガ。**ヒトリガ科**マエアカヒトリ。

ナナフシ目 コノハムシ科コブナナフシ。

ゴキブリ目 オオゴキブリ科エサキクチキゴキブリ。

アミメカゲロウ目 カマキリモドキ科ツマグロカマキリモドキ。

ハエ目 オドリバエモドキ科クロオドリバエモドキ。**ハナアブ科**ケンランアリノスアブ。（以上41種）

【昆虫類の生物学的記述】

　昆虫類は、節足動物門の一綱。全動物の種類の四分の三以上を包含する。体は頭・胸・腹の三部に分れ、頭部に各一対の触角、3対の口器および一対の複眼と通常3個の単眼があり、胸部は3体節で、3対の脚と一般に2対の翅がある。六脚類ともいう。翅は一対のもの、また無いものもある。大部分は陸生。発育の途中で、顕著な変態をするものが多い。気管系はきわめてよく発達していて、呼吸はもっぱら気門による。

屋久島で一般的に見られた昆虫の生態写真

（4） 甲殻類（綱）の概説

甲殻類のいろいろ 甲殻類といえば、ごく一般的なエビ・カニを連想します。甲殻類には体長数ミリのミジンコ類などのプランクトンから、足の長さを含めると４ｍに達するタカアシガニのカニ類まで、多くの種が含まれます。プランクトンなどの小型種は、淡水域などでは主要な種群ですが、その体のサイズが小さいことや生息状況などの評価が困難です。このこともあり、プランクトンなどの小型甲殻類は、現在の生物界の絶滅のおそれのある生物としてのレッドデータブック検討対象種からは除外され、主に大型十脚甲殻類（エビ・カニ・ヤドカリ類）が対象になっています。

硬い殻の鎧を持つ動物 甲殻類とは体が硬い殻で覆われている小動物です。同じ仲間にフジツボがあります。硬い石灰質の殻を持っているため貝の仲間のようですが、幼生時代は水中に浮いており、成長過程で岩の上にしっかりついて固定し成長します。また、身近な環境にごく普通に生息するオカダンゴムシも甲殻類の仲間です。節足動物の中では原始的な体制を保持した、比較的下等なグループといわれます。

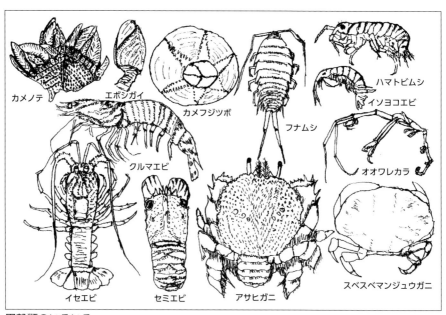

甲殻類のいろいろ

【甲殻類の生物学的記述】

　堅いクチクラの外骨格の甲殻で覆われて体節に分かれ、頭・胸・腹の三部が区別できる。背甲が癒合して頭甲あるいは頭胸甲を形成していることが多い。各体節には原則として一対の分節した付属肢があり、一般に二叉型で短い基部の先に二本の分肢をもつ。胸肢の何対かは歩行用の歩脚となる。腹肢は葉状・二肢型の遊泳脚となることが多い。

　触角は二対、その次の付属肢は大顎となります。ほとんどが水生で鰓呼吸します。ミジンコ・フジツボ・アミ・ワラジムシ・エビ・カニの類をいいます。

【甲殻類の分類の段階】(綱・亜綱・下綱・上目・目・種)

亜綱	下綱	上目	目(種)
カシラエビ類			
鰓脚類			無甲類 (豊年エビ)
			背甲類 (カブトエビ)
			貝甲類 (カイエビ)
			枝角類 (ミジンコ)
貝虫類			
			枝柄類 (Polycope)
			節柄類 (カイミジンコ)
			扁柄類 (Cytherella)
ヒゲエビ類			ヒゲエビ類 (Derocheilocaris)
橈脚類			カラヌス類 (Calanus)
			Cyclopoda (ケンミジンコ・ホタルミジンコ)
			Harpacticoida (Microsetella)
			Monstrilloida
			ホヤノシラミ類 (ホヤノシラミ)
			ウオジラミ類 (ウオジラミ・イカリムシ)
			ナガクビムシ類 (ナガクビムシ)
			Herpyllobioida
鰓尾類			Arguloid (チョウ・ウミチョウ)
蔓脚類			完胸類 (カメノテ・フジツボ・エボシガイ)
			尖胸類 (ツボムシ)
			根頭類 (フクロムシ)
嚢胸類			無脚類
軟甲類	薄甲類	葉蝦類	コノハエビ類
	真軟甲類	原蝦類	アナスピデス類
			Stygocaridacea
			ムカシエビ類 (ムカシエビ)
		汎蝦類	Thermosbaenacea
		嚢蝦類	Spelaeogriphacea
			アミ類 (アミ)
			クマ類
			タイナス類
			等脚類 (フナムシ・オカダンゴムシ)
			端脚類 (ヨコエビ・ハマトビムシ・ワレカラ)
		真蝦類	オキアミ類 (オキアミ・マルエリオキアミ)
			十脚類 (クルマエビ・サワガニ・イセエビ・ザリガニ)
		棘蝦類	口脚類 (シャコ)

（写真）フジツボ (永田いなか浜)

（写真）カルエボシガイ (栗生塚崎)

（写真）カメノテ (一湊海岸)

（写真）フナムシ (一湊海岸)

（写真）オカダンゴムシ (宮之浦キャンプ場)

オキナワアナジャコ

サワガニ (白谷雲水峡)

ズワイガニ (函館朝市)

甲殻類の分類階段と甲殻類のいろいろ

（5）屋久島の甲殻類

屋久島の甲殻類相　鹿児島県の沿岸を南から北へ黒潮が流れており、これら地理的特性や海況の特性が鹿児島県の十脚甲殻類相に影響を与えています。すなわち、ザラテナガエビ、オキナワアナジャコ、スジエビ、テナガエビ、シオマネキ類など、それぞれの分布域の北限あるいは南限の種が鹿児島県内に存在すると鈴木（2016）は述べています。

幼生期は海水が必要　陸水域や陸域に生息する甲殻類のほとんどの種は、幼生の時は海水がないと成育できません。成体が陸域に生息しているオカヤドカリ類でも、幼生を生み出す時には海辺に下りて行きます。一方、生活史を淡水域のみで完結するサワガニ類は海により隔離されるため、屋久島にはサワガニ、ミカゲサワガニ、ヤクシマサワガニのように遺伝的隔離が予測される種や固有の種が生息しています。

絶滅危惧種のエビ・カニ類　屋久島に生息している甲殻類の中で、鹿児島県の絶滅のおそれのある野生動植物に掲載されている種は、オニヌマエビ・イッテンコテナガエビ・コツノテナガエビ・ツブテナガエビ・ヤクシマサワガニ・タイワンオオヒライソガニ・ヒメケフサイソガニ・アゴヒロカワガニ・ハクセンシオマネキ等があります鈴木（2016）。

屋久島産サワガニの色彩変異

フジツボ

カメノテ

エボシガイ

フナムシ

オカダンゴムシ

サワガニ

ヤクシマサワガニ

ベンケイガニ

クロベンケイガニ

オカヤドカリ

ハクセンシオマネキ

オキナワアナジャコ

屋久島で見られる甲殻類のいろいろ

（6）クモ形類（綱）の概説

クモの仲間　一般的にクモ類と呼んでいるのは真正クモ類を指しています。クモ形類の分類学的記述は、節足動物門鋏角亜門の一綱で、広腹類・柄腹類の2亜綱と化石群の2亜綱より成ります。

クモの糸　「自然は昆虫に羽を与えたが、クモには、糸とそれを利用する技を授けた」という表現があります。クモの生活は糸によって展開され、糸があるために今日のように繁栄することができ、しかも害虫駆除という面で人間社会に大きな貢献をしています。

　クモ類の多くは腹部にある2～4対の出糸突起から糸を分泌しますが、網（いわゆる「くもの巣」）を張るものと作らないものとがあります。また、生活のいろいろな場面で糸を使っています。糸を空中に出し、風に吹かれ、糸にぶら下がって気流に乗って移動する「バルーニング」という移動方法を開発した種もいます。

クモの生活法　クモの食物は小動物で、それも生きた者しか食べません。つまり、クモの巣にかかった相手の動きによって、獲物であることを知るわけです。

　クモの生活から、地中性のクモ、皿網を張るクモ、不規則網を張るクモ、円網を張るクモ、棚網を張るクモ、徘徊性のクモなどに分けることもあります。

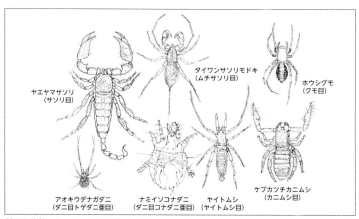

節足動物門　クモ形類（綱）の形態図解

【クモ形類の生物学的記述】
　クモ形類とは、節足動物門鋏角亜門の一綱で、広腹類（サソリ類・カニムシ類・メクラグモ類・ダニ類の4目）と柄腹類（コヨリムシ類・サソリモドキ類・ヤイトムシ類・無鞭類・真正クモ類・コツクムシ類・ヒヨケムシ類の7目）の2亜綱と化石群の2亜綱より成ります。一般的にクモ類とよんでいるのは真正クモ類を指しています。

　体は頭胸部（前体部）と腹部（後体部）にわかれているが、ダニ目では以上の全部が合一している。外骨格は完全にクチクラからなる。頭胸部の付属肢は、触角はなく、鋏角・腮鬚および4対の歩脚で、合計6対で付属肢はない。4対以下の気管または書肺で呼吸し、その主部は腹部にあります。

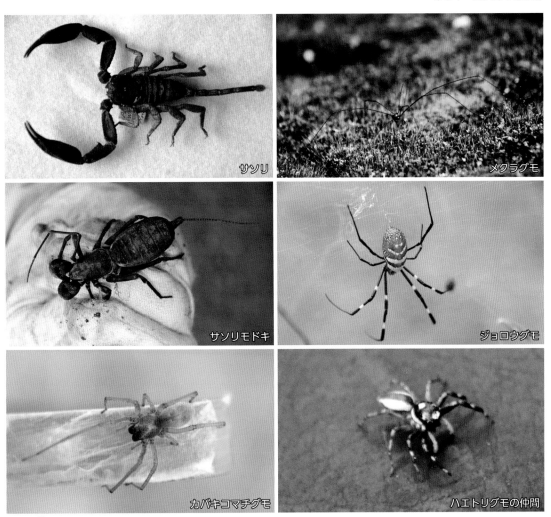

サソリ

メクラグモ

サソリモドキ

ジョロウグモ

カバキコマチグモ

ハエトリグモの仲間

クモ形類のいろいろ

【クモ形類の分類の段階】(綱・亜綱・目・種)
　　　　　節足動物(門)―鋏角類(亜門)―クモ形類(綱)

綱	亜綱	下綱	上目	目(種)
クモ形類	広腹類			サソリ類(極東サソリ・八重山サソリ)
				カニムシ類(ツチカニムシ・コケカニムシ)
				メクラグモ類(カブトザトウムシ)
				ダニ類(マダニ・イエダニ・ツツガムシ)
	柄腹類			コヨリムシ類(コヨリムシ)
				サソリモドキ類　(サソリモドキ)
				ヤイトムシ類(ヤイトムシ)
				無鞭類(カニムシモドキ・ウデムシ)
				真正クモ類(キムラグモ・トタテグモ・オニグモ・ジョロウグモ・コガネグモ)
				クツコムシ類(クツコムシ)
				ヒヨケムシ類

（7）屋久島のクモ類

地クモの生活　クモには、生活環境を選ばない種もありますが、林内、林床、草原、水辺、畑地や人工の建造物などの環境のいずれかを好んで生息する種もかなりあります。これらの中でも細かく見れば、草木の枝間、花の上、樹幹上、落ち葉層、石の下、崖地の土中ほか、特殊な環境としては、海岸の磯や潮間帯、水中や洞窟内に生息する種もあります。

クモの食事　網を張っておいて捕食するのは普通の方法ですが、アヅチグモのように花の上で獲物を待つもの、また、ハエトリグモのように飛びかかって虫を捕らえるものもいます。獲物を捕らえ、大きな牙を突きたてると、毒液が注射されて虫は動けなくなりますが、やがて口から消化液が分泌され、獲物の体を消化しはじめます。タンパク質がある程度分解すると、ポンプ式の胃で吸い込むことが知られています。

獲物狩りの努力　屋久島でのクモ類の観察では、花に擬態して獲物を待つアヅチグモや一湊海岸の潮かぶりに近い岩礁の上で獲物を探すイソハエトリ、日没後真っ暗な草やぶでせっせと網つくりに励むオニグモを興味深く観察しました。ここでは、屋久島の自然界で普通に見られ、観察・写真記録のある真正クモ類を主に紹介します。

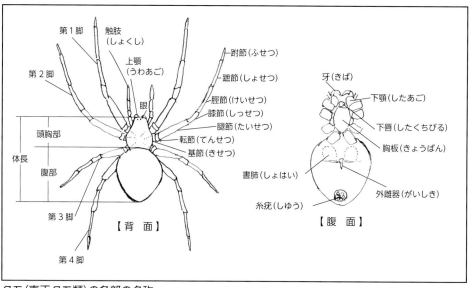

クモ（真正クモ類）の各部の名称

【クモ類の生物学的記述】
　クモ類とは、節足動物門クモ綱クモ目の総称。一般的にクモ類とよんでいるのは真正クモ類を指しています。体は頭胸部と腹部とに分かれ、どちらにも分節がない。触角はなく頭に八個の単眼、頭胸部に四対の歩脚がある。多くは腹部にある２～４対の出糸突起から糸を分泌するが、網（いわゆる「くものす」）を張るものと作らないものとがある。

メクラグモ

オオシロガネグモ

ジョロウグモ

オニグモ

ナガコガネグモ

アヅチグモ

ハエトリグモ

イソハエトリ

アシダカグモ

イオウイロハシリグモ

屋久島で見られたクモ類のいろいろ

（8）多足類の概説

多足類のいろいろ　多足類とは、節足動物の一群。陸生で多脚であることからの通称的な命名であり、系統的な分類ではありません。分類学的には節足動物門、唇脚綱（ジムカデ・オオムカデ等）、倍脚綱（タマヤスデ・オビヤスデ等）、少脚綱（ニワムシ・ヤスデモドキ等）、結合綱（ミゾコムカデ）と分類されます。

多足類の体の特徴　多足類は、体は頭部と胴部に分かれ、頭部には1対の触角と大顎、小顎があります。胴部には、たくさんの足があり、陸上にすんでいます。その中のムカデは、われわれの身の回りでごく普通に見る危険な毒虫であり、ゲジ、ヤスデなども一般的には嫌われる虫たちです。しかし、多足類や土壌微生物が落葉落枝を分解し、植物の生育に必要な栄養分がいっぱいの腐葉土をつくっている分解者です。生物多様性の観点から、われわれと同じ地球に暮らす仲間として認める優しさもあってよいと思います。

ムカデの足は何本　ムカデは百足とも書きますが、百本の足があるとは限りません。ムカデの仲間は足の数で種類が決まります、ムカデ類はゲジ目を除いたものの総称であり、体は扁平で細長く、体長は5〜15㎝。頭と胴とに分かれ、多数の環節から成ります。各節に一対ずつの歩脚があり、数は種によって異なります。頭部に一対の触覚と大顎を持ち、大顎から毒液を注射して小昆虫を捕らえて食します。ジムカデ・トビズムカデ・オオムカデ・イシムカデなど、日本には100種以上が生息しています。頭の色でズアカ（頭赤）、アオズ（青頭）、トビズ（鳶頭）に分けています。ムカデは古来、神の使いや怪異なものとされ、藤原秀郷（俵藤太）の伝説は有名です。

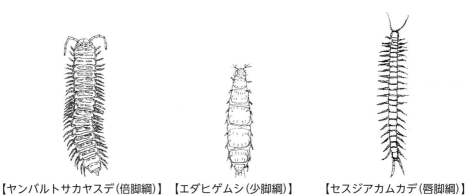

【ヤンバルトサカヤスデ(倍脚綱)】　【エダヒゲムシ(少脚綱)】　　　【セスジアカムカデ(唇脚綱)】

【多足類の生物学的記述】
　多足類とは、節足動物の一群。唇脚類（ムカデの類）、倍脚類（ヤスデの類）、少脚類（ヤスデモドキの類）、結合類（コムカデの類）の総称。体は細長い紐状で、多くの環節から成り、環節ごとに歩脚がある。陸生（器官を有する）で多脚であることからの通称的な命名。系統的な分類ではない。

多足類のいろいろ

【多足類の分類の段階】(綱・亜綱・下綱・上目・目)
多足類＝唇脚類＋倍脚類＋少脚類＋結合類

綱	亜綱	下綱	上目	目(種)
唇脚類	整形類			ジムカデ類(ジムカデ・オリジムカテ)
				オオムカデ類(オオムカデ・ナメシムカデ)
	改形類			ゲジ類(ゲジ・アオゲジ)
				イシムカデ類(イシムカデ・一寸ムカデ)
倍脚類	触顎類			フサヤスデ類(フサヤスデ・ヒメヤスデ)
	唇顎類		後雄類	タマヤスデ類
				ナメクジヤスデ類
			前雄類	ツムギヤスデ類(ヤリヤスデ・ミコシヤスデ)
				オビヤスデ類
				ヒメヤスデ類(ヒメヤスデ)
				ヒラタヤスデ類(ヒラタヤスデ)
少脚類				六節類
				四節類(ニワムシ・ヤスデモドキ)
結合類				コムカデ類(ミゾコムカデ)

（9）軟体動物門（ヒザラガイ・巻貝・二枚貝・イカ・タコ類）の概説

軟体動物のいろいろ　軟体動物は、ヒザラガイ・巻貝・二枚貝・タコやイカなどを含む動物の一門で、体は軟らかく筋肉質で、これらは人間の食生活になじみ深い動物群です。考古遺跡の貝塚は、大昔の人が貝を食べて殻を捨てたゴミ捨て場の跡です。残っている貝殻の種類を調べてみると、その当時の人がどんな食事をしていたかが分かります。

貝殻採集といえば　小中学生の頃の夏休みの自由研究を思い出します。貝殻採集は、美しい貝殻や姿形の観察など自然観察に適した教材といえます。初歩的自由研究では海岸線に打ち上げられる「打ち上げ貝」でも楽しめます。

軟体動物門の多様性　軟体動物は名前が示すように軟らかい肉塊で成り立っています。外敵から身を守るために、外套膜から石灰質を分泌させ、貝殻を形成します。一方、殻を持たないものもあります。貝殻の特徴で貝の名前を検索（同定）する目的で美しい図鑑が数多くあります。

海産は絶滅危惧種から除外　軟体動物門の中の絶滅危惧種の選定は、研究の進んでいる陸産貝類・淡水汽水産貝類だけです。その他の軟体動物門の分類学的研究は海産を含め種類数も多く、保全策や評価が困難なため、現時点では選定種から除外されています。

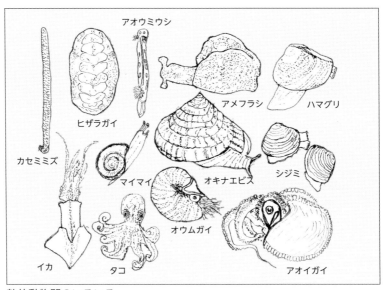

軟体動物門のいろいろ

【軟体動物の生物学的記述】
　軟体動物は、無脊椎動物の一門。体は軟らかくて外套膜に包まれ、さらに、この膜から分泌される石灰質の貝殻によって保護されているのが普通。体は頭・足・内臓塊の三部分から成り、大部分が水生で、鰓呼吸を行なう。単殻類（ビーマ貝）・多板類（ヒザラガイ）・無板類（ケハダウミヒモやカセミミズ）・腹足類（巻貝など）・斧足類（二枚貝など）・掘足類（ツノガイなど）・頭足類（イカやタコなど）などの七綱に分けられる。

【軟体動物門の分類の段階】(綱・亜綱・下綱・上目・目)

亜門	綱	亜綱	目	種名
双経類	単殻類		Triblidiida	ビーマ貝(現生)
	多板類		新ヒザラガイ類	ヒザラガイ、ウスヒザラ貝、ケハダヒザラ貝
	無板類		ケハダウミヒモ類	ケハダウミヒモ
			カセミミズ類	サンゴヒモ、カセミミズ
有殻類	腹足類	前鰓類	原始腹足類	オキナエビス、ミミ貝、トコブシ、アワビ、ツタノハ、ヨメガカサ・バテイラ類、エビス貝、イシダタミ、夜光貝、サザエ、アマオブネ、ワタゾコシロガサ貝
			中腹足類	ヤマタニシ、ミスジタニシ、マルタニシ、タマビキ、ミジンマメタニシ、片山貝、クビキレ貝、オオヘビ貝、ミミズ貝、カワニナ、トウガタカワニナ、ウミニナ、セトモノ貝、キクスズメ、カリバガサ、キヌガサ貝、トンボ貝、マガキ貝、スイジ貝、クモ貝、クチキレウキ貝、ツメタ貝、ホシダカラ、トウカムリ、オキニシ、ヤッシロ貝
			新腹足類	オニサザエ、アカニシ、イボニシ、レイシ、ヒメエゾボラ(ツブ)、エゾバイ、バイ、マツムシ貝、マクラ貝、イモ貝、アンボイナ貝、クルマ貝、イトカケ貝、ルリ貝
		後鰓類	腸紐類	トウガタ貝、クチキレ貝、チョウジ貝
			側腔類	ミス貝、ナツメ貝、タツナミ貝
			翼足類	ミジンウキマイマイ、ウキツノ貝、カメ貝、ハダカカメ貝
			嚢舌類	ユリア貝、タマノミドリ貝、ミドリウミウシ
			無腔類	ヒトエ貝、アオウミウシ、ヤマトウミウシ、ヒカリウミウシ
			収眼類	イソアワモチ、ヒメアワモチ、アシヒダナメクジ
		有肺類	基眼類	オカミミ貝、サカマキ貝、ヒラマキ貝、モノアラ貝
			柄眼類	オカモノアラ貝、ハワイマイマイ、キセル貝、アフリカマイマイ、ナメクジ、コウラナメクジ、マイマイ
	掘足類		角貝類	ツノ貝、クチキレツノ貝、ミカドツノ貝
	斧足類	原鰓類	失歯類	キヌタレ貝
			古多歯類	クルミ貝、ソデ貝
		弁鰓類	真多歯類	ワシノハ貝、エガイ、アカ貝、タマキ貝
			貧歯類	イガイ、クジャク貝、イシマテ、タイラギ、マベ、アコヤ貝、ツキヒ貝、イタヤ貝、帆立貝、マガキ、ケガキ
			裂歯類	カワ真珠貝、イシ貝、カラス貝、イケチョウ貝
			異歯類	キクザル、エゾシラオ貝、トマヤ貝、ウネナシトマヤ貝、カワホトトギス貝、シジミ、ドブシジミ、ハマグリ、琉球アサリ、イセシラ貝、ザル貝、トリ貝、琉球アオイ貝、シャコ貝、バカ貝、ナミノコ貝、桜貝、皿貝、ベニ貝、マテ貝
			無面類	エゾオオノ貝、キヌマトイ貝、ツクエ貝、ニオ貝
			異靭帯類	ネリ貝、ソトウリ貝、ツツガキ
		隔鰓類		シャクシ貝、スナメ貝
	頭足類	四鰓類	オウムガイ類	オウム貝(現生)
		二鰓類	十腕類	コウイカ、ダンゴイカ、ヤリイカ、アオリイカ、ホタルイカ、大王イカ、スルメイカ、ユウレイイカ
			コウモリダコ類	コウモリダコ
			八腕類	メンダコ、クラゲダコ、マダコ、アオイガイ(カイダコ)、タコブネ(フネダコ)

（10）屋久島の海の生き物たち（特に海の貝類）

屋久島の海辺生物の観察　生き物のホットスポット「潮間帯」は、潮の干満に伴って、海水と太陽や風に交互にさらされるところです。また、潮間帯は、ごく狭い帯に過ぎませんが、その場所は、複雑なすみ場所と豊富な食物に恵まれ、生き物の種類が多いのです。海藻や藻の茂る潟湖、荒波が砕ける磯、肥沃な干潟の見られる河口のマングローブなど、屋久島でも陸と海が出合う実に多様な場所であり、生き物たちのすみかや生態を観察できる場所です。屋久島の海岸線はほとんどが岩礁であり、わずかに砂浜（永田のいなか浜・前浜）や干潟（栗生川河口）が見られます。

海の生物の生活場所　海は多くの生物が生息し、潮の引いた海辺ではさまざまな生物が観察できます。砂浜、岩の下、潮だまりをのぞいてみましょう。岩には貝が引っ付き、潮だまりにはヒトデ・ヤドカリ・ウミウシなどが潜んでいます。

　屋久島の海辺の生き物については、屋久島ガイド連絡協議会海洋生物研究会（編）『屋久島の海辺生物ガイド』が参考になります。ここでは、屋久島の自然界で普通に見られる生き物・貝類を紹介します。

磯の多様な住人たち

屋久島の海岸形態と海岸貝類相の生息環境

【屋久島の海岸線と海岸貝類相の特徴】

　屋久島の海岸線は、多様な環境から成る自然海岸が連続して残されています。海岸形態が多様なこともあり、そこに生息する貝類相にも必然的に、それぞれの特徴が現れます。

岩礁海岸　岩礁海岸は、屋久島の海岸域の大半を占めています。その中でも高さが10メートル以上の断崖岩礁が見られ、屋久島南部の平内海岸や西部（西部林道沿い）の川原海岸一帯にあります。そこには岩にしっかり吸着できる、オオツタノハやハチジョウタカラなどが見られます。

　岩礁海岸の貝類群集は、高潮帯から低潮帯にかけて様相が変わります。高～中潮帯では、タマビキ科、アオガイ類、アマオブネ科、低潮帯では、イモガイ科、タカラガイ科の種が多く見られます。玉石状海岸は、屋久島においては北東部から東部にかけての海岸線に連続的に発達します。特徴的な貝類群集として、ヘソアキクボガイ、クマノコガイやフクトコブシ（ナガラメ）が見られます。

礫・砂質海岸　礫・砂質海岸は屋久島においては小河川の河口付近に小規模に形成されます。カヤノミカニモリ、ホウシュノタマ、リュウキュウシラトリ、ホソスジイナミガイなどが見られます。

河口干潟　永田川河口や栗生川河口には、汽水域が幅広く形成されます。そこには小規模なマングローブ・干潟が形成されます。干潟棲息貝類は屋久島では極めて生息範囲が限られ、ミヤコドリ、マスオガイ、ハザクラガイなどは最も生息範囲の狭い希少種です。

(11) 屋久島の陸産貝

デンデンムシは陸産貝という　陸産貝類とはカタツムリのことで、潟つまり陸に生息するツブリ（巻き貝）の意であるといわれます。しかし、生物学でいう正式な呼び名はマイマイです。

陸産貝への進化　陸産貝類の出現は海からです。海産貝類—淡水貝類—陸産貝類へと進化の過程を踏み、水中から陸上へ進出した貝類のことです。鰓呼吸から肺呼吸へ変化した仲間で、有肺類とも呼ばれます。

固有種の多い理由　鹿児島県の南西諸島は、島嶼や石灰岩地帯で成り立っています。マイマイ類は移動能力が弱く、そこにすむ陸産貝類はいずれも海によって移動が阻まれています。そのこともあり、それぞれの地域に固有な種が多く見られます。

　屋久島の固有種（亜種を含む）は、ヤクシマヤマグルマ、イトカケノミギセル、ヤクスギイトカケノミギセル、コハラブトギセル、クチジロビロウドマイマイの5種があります行田（2000）。また、屋久島の名が付いた陸産貝にはヤクシマヤマグルマ、ヤクシマゴマガイ、ヤクシマベッコウ、ヤクシママイマイなどがあります。

デンデンムシの好む場所　陸産貝類は一般に乾燥を嫌い、湿ったところを好んで生活の場にしています。採集や観察は、落葉落枝の下や大株の根元を探します。

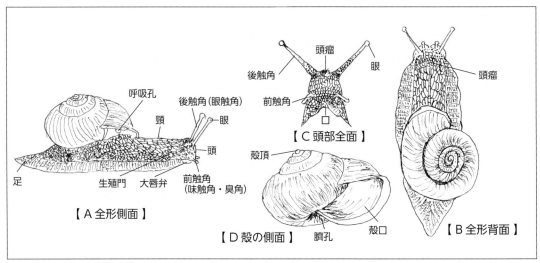

マイマイの形状と部位名称

【陸産貝の生物学的記述】
　かたつむり（蝸牛）とは、マイマイ目の陸生有肺類巻貝の一群の総称。オナジマイマイ・ウスカワマイマイ・ナミマイマイ・ミスジマイマイなどと種類も多い。5〜6階から成る螺旋形の殻があり、大部分は右巻。頭部に二対の触角を具え、長い方の先端にある眼で明暗を判別する。雌雄同体、卵生。湿気の多い時季の夜、樹や草に這い上がり若葉などを食べる。でんでんむし・ででむし・まいまいつぶろ・まいまい等の多くの呼び名がある。

ヤマタニシ

アズキガイ

タネガシマキセル

【屋久島産陸産貝】(門・綱・亜綱・下綱・上目・目)

門	綱	亜綱	目	科(種)
軟体動物門	腹足綱	前鰓亜綱	中腹足目	ヤマタニシ科　（ヤマタニシ・ミジンヤマタニシ）
				ヤマグルマ科　（ヤクシマヤマグルマ・ヒメヤマグルマ）
				ムシオイ科　（タネガシマムシオイ）
				アズキガイ科　（アズキガイ・フナトウアズキガイ）
				ゴマガイ科　（ヤクシマゴマガイ・ハラブトゴマガイ・タネガシマゴマガイ）
				カワザンショウガイ科　（オオウスイロヘソカドガイ）
		有肺亜綱	柄眼目	キセルモドキ科　（チャイロキセルモドキ）
				キセルガイ科　（ピントノミギセル・ハラブトノミギセル・イトカケノミギセル・ヤクスギイトカケノミギセル・ヤクスギイトカケノミギセル・ウチマキノミギセル・タネガシマギセル・ハラブトギセル・コハラブトギセル・ヤコビギセル・トカラコギセル）
				ナメクジ科　（ナメクジ・ヤマナメクジ・イボイボナメクジ）
				オカモノアラガイ科　（ヒメモノアラガイ）
				ベッコウマイマイ科　（ヤクシマベッコウ）
				カサマイマイ科　（タカカサマイマイ）
				ナンバンマイマイ科　（タネガシママイマイ・クチジロビロードマイマイ・ヘソカドケマイマイ・オオスミウスカワマイマイ）
				オナジマイマイ科　（チャイロマイマイ・イトウケマイマイ・ツバキカドマイマイ・ツクシマイマイ・ヤクシママイマイ・コハクオナジマイマイ）

コハラブトギセル

ナメクジ

ヘソカドマイマイ

ヤクシママイマイ

オオスミウスカワマイマイ

タカチホマイマイ（交尾）

屋久島産陸産貝の生態写真

（12）環形動物門のヤマビル

吸血鬼ヤマビル　屋久島の森には、薄気味悪い吸血鬼ヤマビルがいます。山麓部の低地から高地まで分布は広く、湿度や温度によって標高1000m付近まで生息しています。

　一般書には、ヒルの皮膚にある感覚器で人や獣類の呼気を感じとるとありますが、図に示すように、頭部に左右5個の眼があるのを見ると、光や影なども感じているのかもしれません。湿った山中の落ち葉の下などに潜んでおり、シャクトリムシに似た前進運動で移動します。人間や動物が接近すると頭部を上げて取り付く準備をします。後吸盤で垂直に立ち上がり、ゆらゆらと頭を振ります。

ヤマビルの生態と対処法　ヤマビルに吸血されても痛み、痒みはほとんど感じません。吸着力が強く、引っ張っても輪ゴムのように伸びるだけで、なかなか取れません。体重の10倍の血液を吸うことができるといわれ、たっぷり吸うまで離れません。特に寄生虫を媒介するわけでもなく、人間にとって危険性はありませんが、吸血されたら細菌の二次感染を防ぐために、よく洗浄して消毒してください。屋久島でのヤマビルの取り付く主な野生動物はヤクシカと思われます。

ヤマビルの取り付きやすい部位と吸血状況

【ヒル類の吸血システムと対処法】
　ヒルの口の中には3つの半円形の顎があり、縁には細かな歯が多数あり、丸ノコギリの歯のように並んでいます。この顎でほかの動物の皮膚に咬みつきます。ヒルの唾液には、ヒルジンという血液凝固を妨げる物質と、血管の拡張作用をするヒスタミン様の物質が含まれていて、吸血と同時にこれらの物質を注入しながら相手の血を固まらせずに吸血することができるのです。一回で体の10倍もの血を吸って大きく膨れます。ヒルを取り除いても出血はなかなか止まりません。それは、ヒルの唾液が残っているからです。傷口付近を丁寧に水洗いすれば、止血は早まります。

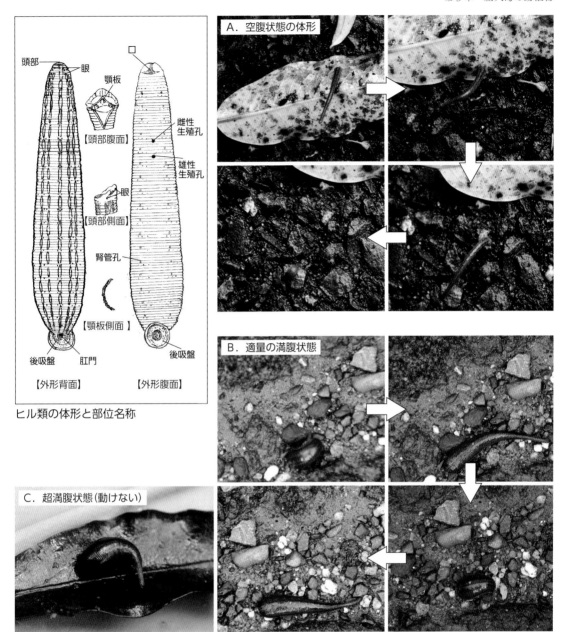

ヒル類の体形と部位名称

ヤマビルの移動方法と吸血の生態

【ヒル類の生物学的記述】

　ヒル類は、世界に300種が知られ、陸上、淡水、海に広く分布しています。その中で、屋久島の森で見る種はヤマビル *Haemadipsa zeylanica japonica* です。分類階級は、環形動物門・ヒル（蛭）綱・真正蛭亜綱・顎蛭目・ヒルド科に属します。分布は本州、四国、九州です。体長は全長2〜3cmで円柱形です。移動は体の両端に吸盤を持ち、シャクトリムシ様の前進運動で移動します。前方吸盤の口には3個の顎があり、おのおのが約90個の歯を持っています。この顎で傷をつけ、ヒトや動物の血を吸うのです。雌雄同体で、吸血した後、交尾し産卵します。卵は卵包という袋の中に入れて産み出します。卵包内で成長し、親と同じ形になってから孵化します。

３．屋久島の植物

　屋久島の世界自然遺産としての最大の評価は、植物にあります。樹齢1000年を超える屋久杉の原始林、日本列島の自然が凝縮されたといわれる垂直分布（植物分布）が特筆されるものです。垂直分布による植生は、低地から、亜熱帯林—照葉樹林—夏緑樹林—針葉樹林—ヤクザサ帯となっています。

　屋久島の気候は、低地は亜熱帯に属し、一年中霜を見ることはありませんが、高地には多くの積雪が見られ、年によっては３月頃まで１〜２ｍの残雪が見られます。また、島の東側には黒潮（暖流）が北上し、立ち上る水蒸気は、屋久島の山地の冷気に触れ、雲や霧となり大量の雨を降らします。

　標高600ｍ付近以上の森林内は湿度が高いため、林床から樹幹上までコケで密に覆われた世界最北端の暖帯雲霧林を形成しています。そこには、珍しいコケ・シダ・ランなどの豊かな植物群が育まれています。雲霧帯の大木には、他地方では地上に生えるスギ・ヤマグルマ・ヒメシャラ・その他多くの低木類が樹上に着生している珍しい現象が見られ、一本の木全体が一つの「生態系」ともいわれます。

　さらに、高地の林内、湿原、草原などには普通の植物の数分の一にも矮小化した植物が多いのも、他では見られない珍しい現象です。ここでは植物の生態や生育環境を現場で観察した内容を紹介します。

白骨樹の弥生杉

格闘するスギとヤマグルマ

スギ原始林

法面にびっしり生えた実生苗

スギの古木に芽吹いたスギ

屋久島のスギの生育状況と生き様

屋久島の垂直分布による景観の変化

（1）屋久島の植物の垂直分布

沿岸は冬でも暖かい　屋久島の沿岸は暖流（黒潮）の影響で冬でもそれほど寒くなりません。しかし、高山を持つ山岳島のため、緯度の割には冷涼な環境と温暖な環境を併せ持っていることになり、典型的な垂直分布が見られます。水平分布と垂直分布については、第2章第1節の（48ページ）に詳細な記載があります。

植物の垂直分布のモデル　屋久島の西側に、通称「西部林道」という地域があります。そこは植物で見られる日本でのバイオームの一つ、垂直分布のモデル的な原生林です。海岸線の海抜0メートルからはじまり、国割岳（1323m）さらに宮之浦岳（1935m）まで切れ目なく続く斜面があります。この地域は屋久島で最も重要な場所として①生物圏保存区（ユネスコ）、②国指定特別天然記念物・屋久島スギ原始林（国内）、③屋久島森林生態系保護地域（国内）として指定されており、世界の宝ともいうべき場所です。

垂直分布と水平分布　陸上の植生は主に気温と降水量の違いによって区分され、バイオームもこの区分によって分類されます。日本列島は降水量の地域差が少ないので、バイオームの分布は主に気温によって決まります。暖かさの指数は南から北にかけて減少するので、水平分布は、南から亜熱帯多雨林、照葉樹林、夏緑樹林、針葉樹林に分けられます。垂直分布は、低い方から丘陵帯、山地帯、亜高山帯、高山帯に分けられます。

植物の垂直分布（屋久島西南部の西部林道沿い）

【日本のバイオームの水平分布と垂直分布】
　バイオームとは、主として気候条件によって区分された生活帯、すなわちツンドラ・夏緑樹林・熱帯多雨林・サバンナなどと分けられた範囲に存在する生物の群集単位をいいます。特定の地域の環境に適応した植物や動物、菌類、細菌などが形成する特徴的な生物集団をバイオーム（生物群系）と呼んでいます。
　日本のバイオームの水平および垂直分布は、主として緯度によるバイオームの移り変わりを水平分布、高度による変化を垂直分布といいます。

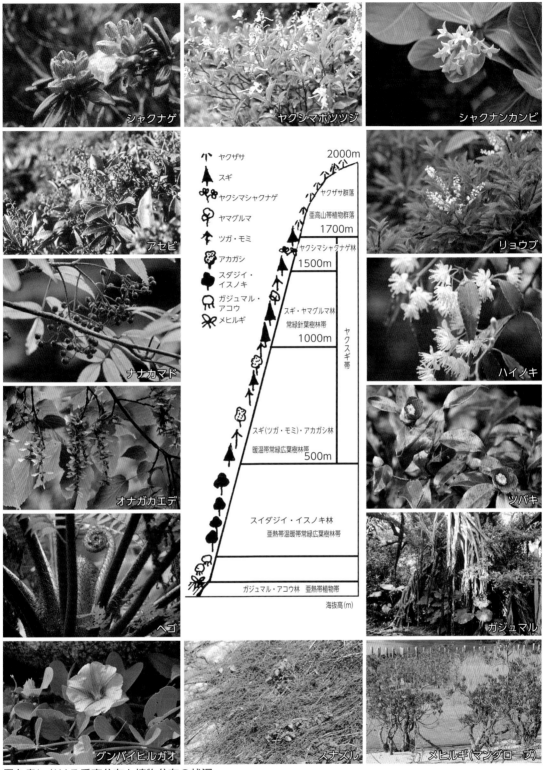

屋久島における垂直分布と植物分布の状況

（2）世界中で屋久島だけに生育する固有植物

世界レベルで重要な植物・固有種　世界中でその地域（屋久島）だけに限定して生育する植物を固有種といいます。ある生物の分布が特定の地域に限定される現象を固有といい、これを示す生物種を固有種といいます。固有種は生物分布学上、最も重要で貴重な生物種とされています。屋久島には、世界中で屋久島にだけ生育する固有種の植物が多く、屋久島の植物相を特徴づけています。屋久島に固有の植物は多くが高地帯に分布していますが、カンツワブキのように低地に分布の中心をもつものもあります。学術的に貴重な花としては、高地に見られる固有種のシャクナンガンピとヤクシマリンドウが双璧といわれます。

固有種 endemismの特性　固有種とは、その地方にだけ特産する生物種。分布圏の大小を問いませんが、地域は一大陸を超えないのが普通で、それ以上広い分布の時は汎存（汎存種）と呼びます。固有生物には次第に減少、ないしは停頓状態に止まるものもあります。また、島の生物は海による隔離のため固有率が高いともいわれます。

【屋久島固有の植物】
　シダ植物オシダ科オノアイダカナワラビ・ヤクイヌワラビ・ヤクシマタニイヌワラビ。ワラビ科カワバタハチジョウシダ・シノブホングウシダ。
　種子植物双子葉類ウマノスズクサ科オニカンアオイ。カワゴケソウ科ヤクシマカワゴロモ。キク科コスギニガナ・シマコウヤボウキ・ヒメキクタビラコ・ホソバハグマ・ヤクシマニガナ・ヤクシマノギク・ヤクシマヒヨドリ。キンポウゲ科オオゴカヨウオウレン・ヒメウマノアシガタ。グミ科ヤクシマグミ。ゴマノハグサ科ヤクシマシオガマ。ジンチョウゲ科シャクナンガンピ。ツツジ科アクシバモドキ・ヤクシマツリガネツツジ・ヤクシマヤマツツジ。ツバキ科ヒメヒサカキ。バラ科ヤクシマキイチゴ。ミカン科ヤクシマカラスザンショウ。ヤドリギ科マルバマツグミ。ユキノシタ科ヒメチャルメラソウ。リンドウ科ハナヤマツルリンドウ・ヤクシマリンドウ。
　種子植物単子葉類イネ科ヤクシマダケ・ヤクシマノガリヤス。ホシグサ科ヤクシマホシクサ。ラン科ヒメクリソラン・マツゲカヤラン・ヤクシマチドリ・ヤクシマトンボ等の36種。【初島住彦著『北琉球の植物』による】

シャクナンガンピ

ヤクシマリンドウ

ヤクタネゴヨウ

オオゴカヨウオウレン

ヒメウマノアシガタ

ヤクシマシオガマ

アクシバモドキ

ホソバハグマ

ヤクシマキイチゴ

ヤクシマカラスザンショウ

ヤクシマサルスベリ

ヤクシマアザミ

ヤクシマニガナ

ヤクシマダケ

カンツワブキ

屋久島の固有植物一覧

（3）屋久島の植物に見られる変種と品種

`ヤクシマシャクナゲは固有変種`　屋久島の花としてヤクシマシャクナゲが知られていますが、実際は固有変種になります。

`変種とは`　変種とは変わった種類。かわりだね。生物分類上の一階級で、分類群の系列上、種の下におかれた階級です。植物分類では、形質が基本種と若干異なるもので、従来は単に花色（多くの白花）・姿勢（シダレザクラ）・葉形などの一つの形質で異なるものにも適用しましたが、最近ではそれらを品種と考え、少なくとも2～3の点で異なり、地理的に異なる分布圏を占有するものを多く変種として扱います。

`品種とは`　種の下位階級の変種のさらに下位のものを品種に区分します。複数の形質を持つものは変種、1つの形質で異なるものを品種としています。屋久島の小田汲川流域のツツジで、オダクミツツジが該当します。

`植物分類と動物分類の考え方の違い`　植物分類では形質が基本種と若干異なるもので、少なくとも、2～3の点で異なり、地理的に異なる分布圏を占有するものを多く変種として扱います。一方、動物分類では変種を軽視する傾向があり、動物における変種の一部は品種、地理的分布の異なるものは亜種に扱われることが多いようです。

　屋久島固有変種・屋久島の固有品種の植物については、研究者間の考えが異なる点もあり、本著では、初島住彦著『北琉球の植物』に準拠しました。

【屋久島固有変種の植物】
　シダ植物オシダ科ホソバヌカイタチシダ。ワラビ科ホソバコウシュウシダ。
　種子植物双子葉類アカネ科ヤクシマハシカグサ・ヤクシマムグラ。イラクサ科ヒメミズ。オオバコ科ヤクシマオオバコ。オトギリソウ科ヤクシマコオトギリ。カエデ科ヤクシマオナガカエデ。キク科イッスンキンカ・ヤクシマコウモリ。キンポウゲ科ヒメキツネノボタン・ヤクシマカラマツ。ゴマノハグサ科ヤクシマママコナ。サクラソウ科ヒメコナスビ。シソ科ヤクシマシソバタツナミ・ヤクシマタツナミソウ・コケトウバナ。スイカズラ科マルバヤマシグレ。スミレ科コケスミレ。セリ科ヤクシマノダケ。ツツジ科ヤクシマシャクナゲ・ヤクシマミツバツツジ。バラ科ヤクシマカマツカ・ヤクシマヒメバライチゴ。フウロソウ科ヤクシマフウロ。ユキノシタ科ヤクシマガクウツギ・ヤクシマショウマ。リンドウ科ヤクシマコケリンドウ・ヤクシマツルリンドウ。
　種子植物単子葉類イグサ科ヤクシマスズメノヤリ。カヤツリグサ科チャボカワズスゲ・ヤクシマカンスゲ・ヤクシマスゲ。サトイモ科ヤクシマヒロハノテンナンショウ。ユリ科ヤクシマギボウシ。ヤクシマショウジョウバカマ・ヤクシマチャボゼキショウ・アマミトンボモドキ・ヤクシマヤマラッキョウ等の39種。
【初島住彦著『北琉球の植物』による】

固有変種の生態写真

【屋久島の固有品種】
　種子植物双子葉類イワウメ科ヒメコイワカガミ。キク科タマゴバキッコウハグマ・マルバキッコウハグマ・モミジバキッコウハグマ。スミレ科ヤクシマタチツボスミレ。ツツジ科オダクミツツジ。ユキノシタ科ヒメウメバチソウ・ヤクシマダイモンジソウ等8種。　【初島住彦著『北琉球の植物』】

オダクミツツジ(固有品種)　　ヤクシマシャクナゲの葉の形態変異と名称の違い(高冷地と低地林内)

【ヤクシマシャクナゲの生育場所による形態差と呼び名の違い】
　屋久島の代表的な花・ヤクシマシャクナゲは、亜種名で表記されます。冬のほとんどを雪や氷で覆われる高冷地（1800m）のものと、やや低地（1400m）で生育する葉の構造・形態に差が見られます。研究者によっては、低地林内のものをオオヤクシマシャクナゲと命名し、表記することがあります。高冷地の葉の裏側は厚手のフェルト様の組織で覆われています。いわゆる、防寒対策が完備されているのです。一方、低地の葉は大きくて、裏側もスベスベしています。これらの現象は、種の分化への兆しと考えられ、自然の巧妙さが感じられます。

（4）分布の南限種と北限種

南から・北からのせめぎ合い　ある地域の植物相は、大陸移動と気候変動及びそれらを反映した植物の移入・進化・絶滅を経て成立しています。植物では、種子などの長距離散布が起こりやすいため、大陸間の植物相の違いは動物に比べて小さいとされています。

　屋久島は、約2万年前までは九州本土と陸続きであったとされています。屋久島を分布の南限とする植物は多く、一方、北限とする植物もあります。南方系と北方系の種が混在して豊富な植物相を有しています。植物相が複雑に入り組んで、とらえどころのない属性が屋久島の魅力です。このことから屋久島産植物の多様性が推察できます。

南限種は山地に北限種は海岸周辺に　屋久島までは分布していますがそれ以南には見られない植物が230種以上にも上るとあります。いかに九州本土との関係が深いかが分かります。スギをはじめとして屋久島が分布南限の温帯系植物の多くは、麓には自生していません。一方、屋久島や種子島が分布北限になる熱帯系植物は海岸線周辺に現れます。研究者の考え方により多少の差異があり、本著では大野（1992）に準拠しました。

【屋久島の南限種と北限種の一覧】大野（1992）に準拠
南限種

裸子植物イチイ科カヤ。イヌガヤ科イヌガヤ。マツ科ヤクタネゴヨウ。スギ科スギ。ヒノキ科ヒノキ・ツクシビャクシン。
被子植物亜門双子葉植物綱モクレン科オオヤマレンゲ。センリョウ科ヒトリシズカ。キンポウゲ目メギ科メギ。キンポウゲ科ヤマハンショウヅル。ナデシコ科ワチガイソウ。タデ科ナガバノヤノネグサ・ネバリタデ・ハナタデ。ツゲ科ツゲ。スミレ科キバナノコマノツメ・ヒメスミレ・マルバスミレ。ウリ科モミジカラスウリ。イラクサ科ヤマネズ・アオミズ。チンチョウゲ科シマサクラカンピ。ツツジ科ヒカゲツツジ・バイカツツジ。イチヤクソウ科アキノギンリョウソウ・イチヤクソウ。ベンケイソウ科マルバマンネングサ・ヒメレンゲ。ユキノシタ科ゴトウヅル（ツルアジサイ）・ダイモンジソウ・ウチワダイモンジソウ。バラ科ヒメキンミズヒキ・ヤマブキショウマ・カワラサイコ・イワキンバイ・ヤブイバラ（ニオイイバラ）・ミヤマフユイチゴ・コバノフユイチゴ・アズキナシ・ナナカマド。ヤドリギ科マツグミ。ツチトリモチ科ツチトリモチ。クロウメモドキ科ハマナツメ。ウルシ科タウルシ。ミカン科フユサンショウ。カタバミ科コミヤマカタバミ。トウワタ科コイケマ・シタキソウ。クマツヅラ科トサムラサキ。シソ科トラノオジソ・ウツボグサ・タツナミソウ・シソバタツナミ。モクセイ科ヤナギイボタ。ゴマノハグサ科シコクママコナ。イワタバコ科シシンラン。タヌキモ科ムラサキミミカキグサ。キキョウ科ツクシタニギキョウ。キク科センダングサ・ツクシコウモリソウ・ホソバニガナ・ナガバノコウヤボウキ・フクオウソウ・ヒナヒゴタイ・コガネギク・アオヤギバナ。スイカズラ科オオカメノキ・ニシキウツギ
単子葉植物オモダカ科アギナシ。カヤツリグサ科クジュウスゲ・マツバスゲ・ヤマジスゲ・ハリガネスゲ・コイワカンスゲ・コタヌキラン・イトスゲ・サナギスゲ・キシュウナキリスゲ・ミヤマイワスゲ・コハリスゲ・ウシクグ・エゾハリイ・オノエテンツキ・イトイヌノハナヒゲ。イネ科ミヤマヌカボ・ハイコヌカグサ・シコクコウボウ・ヒメノガリヤス・ヒロハノコメススキ・コメススキ・アオウシノケグサ・チョウセンガリヤス・キタササガヤ・ヤマミゾイチゴツナギ。ユリ科ケイビラン・チャボシライトソウ・ホウチャクソウ・ツクシショウジョウバカマ・ハマカンゾウ・オオバギボウシ・マイヅルソウ・ツクバネソウ・オモト・チャボホトトギス・シライトソウ。ラン科ムギラン・ミヤマムギラン・キエビネ・シュスラン・チアケビ・ツリシュスラン・ヒメノヤガラ・ムヨウラン・ギボウシラン・セイタカスズムシソウ・アオフタバラン・ツクシアリドウシラン・ジンバイソウ・オオバノイトトンボソウ・ナガバトンボソウ・ヤマトキソウ・マツラン・コオロギラン・ショウキラン（以上121種）

北限種

オシロイバナ科ナハカノコソウ。イラクサ科タイワントリアシ・ツゲモドキ。サクラソウ科ホザキザクラ。バラ科テンノウメ。ノボタン科ハシカンボク。マメ科モダマ・クロヨナ。ブドウ科ミツバビンボウカズラ。モクセイ科シマタゴ。キク科ホソバハグマ。アカネ科タシロルリミノキ・マルバルリミノキ・チャボイナモリ。イネ科ダイトンチヂミザサ。ユリ科ヒメカカラ。ラン科タイワンアオイラン・エンレイショウキラン・ホウサイラン・ヒメヤツシロラン・ムラサキミヨウラン・キバナコクラン。（以上22種）

屋久島を南限とする植物

屋久島を北限とする植物

（5）樹上の森（着生植物の多様性）

着生植物の多様性　　植物は地上に根を張り育つもの、という一般常識は屋久島では通じない
ことがあります。樹木や倒木への着生種、木の根や枝に寄生してそこから養分を摂取する種、
堆積した葉の上に育つ腐生種など、実に多種多様な生活型をもつ植物たちが「樹上の森」をつ
くっています。

縄文杉の合体木説　　ヤクスギはそれ自体が一つの森といわれます。そこには、コケ・シダ・
ランなどの豊かな植物群が育まれています。雲霧帯の大木には、ほかの地方では地上に生える
スギ・ヤマグルマ・ヒメシャラその他の多くの低木類が、樹上着生している珍しい現象が見ら
れます。一本の木全体が一つの「生態系」ともいうべき様相を呈しています。これらの現象か
ら、縄文杉を複数の木の合体木だとする説が生まれるのでしょう。樹上の森は、屋久島の環境
の成せる業と思われます。

モミの木の大木に着生した植物群（尾之間歩道）　　スギの朽木に着生した植物群（黒味岳）

【樹上の森をつくる着生木】
　屋久町屋久杉自然館が発行した『屋久杉の巨樹・著名木』によると、着生した樹種について詳しい記載があ
ります。代表的な巨樹37本の杉に着生した着生木の一覧が紹介されています。多い順に列記すると、サクラツ
ツジ・ヤマグルマ・ナナカマド・ヒカゲツツジ・アクシバモドキ・マルバヤマシグレ・スギ・アセビ・アオツ
リバナ・ミヤマシキミ・ユズリハ・サカキ・シキミ・リョウブ・ハイノキ・ヒメシャラ・ヤクシマシャクナゲ
等が挙げられ、それぞれ違った様相を呈しています。

紀 元 杉

樹　高	19.5m
胸高周囲	8.1m
樹　齢	約3,000年
標　高	1,230m

着生植物
ツガ・ヒノキ・ヤマグルマ・サクラツツジ・オオヤクシマシャクナゲ・アセビ・マルバヤマシグレ・ヒカゲツツジ・ナナカマド・アクシバモドキ・シキミ・トカライヌツゲ・ソヨゴ・ミヤマシキミ・ユズリハ

林野庁　屋久島森林管理署
2000.3

KIGENSUGI CE

Tree height: 19.5 m
Circumference at breast height
Age: 3,000 years old (estimate
Altitude: 1,230 m
Epiphyte:
Tsuga sieboldii (Tsuga), Chama
obtusa(hinoki), Trochodendron
(yamaguruma), Rhododendron
yakushima var.intermedium (Oy
shakunage), Pieris japonica(ase
Rhododendron tashiroi(sakura
Sorbus commixta(nanakamado)
Daphniphyllum macropodum (y
Ilex crenata Thunb.var.tokarens
Hatusima (tokarainu Illici
anisatum (shikimi)

Forestry Agency

樹上の森（紀元杉）と案内板

アクシバモドキ　ナナカマド　アセビ
サクラツツジ　ミヤマシキミ　リョウブ
ハイノキ　ヒメシャラ　オオヤクシマシャクナゲ

着生植物のいろいろ

135

（6）気根のシャワー・バニヤン樹（アコウとガジュマル）

溶樹とはガジュマルの異称　バニヤン樹とは、クワ科イチジク属の樹木の総称で、アコウやガジュマルなどをいいます田川（1999）。いわゆる「絞殺しの木」で、はじめは他の木に着生、気根を下ろしながら発達し、ついには寄主を取り囲む形で大木となります。また、ガジュマルは溶樹ともいわれ、樹冠の上部で幹や枝がつながり、あちこちに気根を垂らして一面を覆います。樹が溶けて気根が垂れ下がる様から溶樹といわれます。

バニヤン樹は鳥散布植物　バニヤン樹は、鳥がふんなどとして運んで来るいわゆる鳥散布植物であり、熱帯に多いクワ科イチジク属の樹木の総称でもあります。そして、お釈迦様がその下で悟りを開いたといわれるインドボダイジュなども同じ仲間に含まれます。カンボジアのアンコールワットやタイの遺跡などでは数多くのバニヤン樹が見られます。

屋久島の樹の妖怪（ナンジャモンジャ）

【ナンジャモンジャ】謎めく巨木「ナンジャモンジャ」。名前の分からない木はときにナンジャモンジャと呼ばれます。この奇妙な名前こそが、ナンジャモンジャの霊性の根源なのです。まさに、草食恐竜ブロントザウルスの長い首のドラゴンを連想します。慎重に観察した結果、主木はアコウの大木でした。

ガジュマル林は天然のフィールドアスレチック

猿川のガジュマル林(樋之口)

【屋久島で名のあるガジュマル林】
　屋久島を北限とするバニヤン樹ガジュマルは海岸線にある集落内の防風林として利用されています。屋久島で名のあるガジュマル林としては、猿川のガジュマル（樋之口）・中間ガジュマル（中間）・志戸子ガジュマル（志戸子）・一湊ガジュマル並木（一湊）・麦生のガジュマル防風林（麦生）・小島のガジュマル（小島）・湯泊のガジュマル（湯泊）・栗生神社のガジュマル（栗生）が有名です。

中間のガジュマル

猿川のガジュマル

志戸子のガジュマル

（7）矮小植物と高山植物

矮性種は環境への適応　　高地のヤクザサ帯には、多くの北方系の植物が見られます。高地の林内、湿原、草原などには普通見られる植物種の数分の一に矮小化した植物が多いのも、他には見られない珍しい現象です。

屋久島高地は矮小固有植物の宝庫　　屋久島の奥岳（1800m以上の山々）の主稜線南端の黒味岳山頂からは最高の展望が開けます。九州最高峰の宮之浦岳に続く一連の山々、投石岳、安房岳、翁岳、栗生岳そして宮之浦岳へと、さらに宮之浦岳の背後に永田岳が鎮座します。これらのトラバース道（山の斜面を横断する道のこと）は、コケに覆われた花崗岩上を湧水が流れ、矮小固有植物が彩りを添えます。

矮小植物は生理的矮性　　屋久島の矮小植物と高山植物の特徴は、山頂部の地形や地質（貧栄養の土壌）および気象条件（過酷な風や気温）が起因する生理的矮性と考えられます。また、研究機関において矮小種を平地で栽培した結果、種によっては、次第に大きくなるという実験結果もあります。

宮之浦岳に連なる稜線沿いのトラバース道に矮小植物が集中する

【矮小植物一覧】
　ヒメツルアリドウシ・ヤクシマムグラ・アリノトウグサ・ヒメコイワカガミ・ヤクシマオオバコ・ヤクシマコオトギリ・ミヤマカタバミ・イッスンキンカ・ヒメキクタビラコ・ヒメウマノアシガタ・ヤクシマカラマツ・ヒメコナスビ・コケトウバナ・ヤクシマナミキ・コケスミレ・ヤクシマミヤマスミレ・ツクシゼリ・ヒメウマノミツバ・ヒメウチワダイモンジソウ・ヒメウメバチソウ・ヒメチャルメラソウ・ヒメヒサカキ・ヤクシマイバラ・ノギラン・ヤクシマヒロハノテンナンショウ・ヒメカカラなど26種。

矮小植物の生態写真

【矮小形・矮化＝矮性とは】
　矮小形：動物・植物いずれもその種類の標準の大きさの２分の１程度以下で停止した、異常に矮小な個体があります。園芸植物では人工的に作出される場合も多いようです。
　矮化＝矮性：委縮ともいいます。一般には生物で矮小形を生ずることをいいます。植物の矮性は、主として茎の節間成長が抑えられることから起こります。遺伝的矮性と生理的矮性があります。生理的矮性は温度・光などの環境条件によって、生活環の一時期を一時的に矮性で過ごすものについていいます。

（8）屋久島のコケ植物

コケは蘚苔類ともいう　コケ植物は、古木・湿地・岩石の表面などに生える植物で、蘚類（ミズゴケ・ヒカリゴケ・スギゴケ）と苔類（ゼニゴケ・ジャゴケ）、そしてツノゴケ類があります。屋久島の森は、蘚苔林と呼んでも良いほどの森です。

屋久島の景観をつくるコケ　屋久島の代表的な景勝地「花之江河」の高層湿原の主役はミズゴケです。また、屋久島の森は、標高600m付近以上の森林内は湿度が高いため、林床から樹幹上までコケで密に覆われ、世界最北端の暖帯雲霧林を形成しています。雲霧帯の木々はいろいろなコケ類をまとい独特の雰囲気を醸し出しています。

胞子で繁殖する隠花植物　植物の仲間を、花の咲く植物（種子植物）と咲かない植物（胞子植物）に分けることがあります。また、花や種子を生じないで胞子で繁殖する植物を隠花植物ともいいます。屋久島の自然を語る時、花の咲かない植物のコケ植物とシダ植物の存在を避けては通れません。

高層湿原「花之江河」の主役は、一面に広がるミズゴケです

【コケ植物の生物学的記述】
　植物分類学上の一門。コケの類。コケ植物は蘚苔類ともいわれ、緑藻類とシダ植物の中間に位置し、ツノゴケ類・苔類・蘚類の3群から成り、時に独立して蘚苔植物門とすることがあります。
　核相の有性世代が大形の体に発達し造卵器・造精器を生じ、2nの無性世代は小形で栄養的に独立できず、子嚢・子嚢柄・足の3部から成って有性世代に依存します。この点シダ類や種子植物と対照的です。葉状体または茎葉の分化した茎葉体を形成するが、維管束の発達はほとんど見られず、蘚類は通道組織としては道束を分化します。主に陸上植物で、化石としては中部石炭紀以降にウロコゴケ（苔類）、上部石炭紀以降に蘚類、白亜紀以後にミズゴケが発見されているにすぎません。
　屋久島のコケについては、屋久島環境文化財団発行の『屋久島のコケガイド』が参考になります。

タカサゴサガリゴケ

オオシラガゴケ

ヒノキゴケ

ヤマトフデゴケ

クモノスゴケ

ヤクシマホウホウゴケ

モツボゴケ

ユミダイゴケ

コスギゴケ

ハネムクムクゴケ

ケチョウチンゴケ

ジャゴケの仲間

フォーリームチゴケ

フォーリースギバゴケ

オオミズゴケ

エゾミズゴケ

トサノゼニゴケ

コケの林

屋久島のコケ植物のいろいろ

（9）屋久島のシダ植物

維管束をもつ隠花植物　シダ植物は、多くは根から直接、葉のついた柄を出し、胞子で殖えます。ワラビ・ゼンマイ・ウラジロ等があります。シダ類は緑色植物維管束植物類の一綱でシダ植物の総称。種類が多く、世界で約9000種、日本では約450種が生育しています。屋久島の低地から標高500m前後の林道で見られる木性ヘゴは、太古の森を連想させる姿で圧巻です。

維管束とは　維管束とは、シダ植物と種子植物とにある重要な組織で、茎・葉・根などを条束状に貫いている篩部と木部とから成り、篩部は同化作用その他体内物質の通路、木部は水の上昇路です。

珍しいシダ植物ヒカゲノカズラの仲間　屋久島には全国的には極めて珍しい、つる性のシダ植物ヒモヅルがあります。つるは他の植物や高木をよじ登って広がり、長さが10m以上に達することもあるといわれています。安房林道の崖面の数カ所で見られます。また、レッドデータブックの絶滅危惧植物ヨウラクヒバが稀に見られます。

植物園の温室を飾るシダ植物　木性ヘゴと共に、国内の著名な植物園の温室などで見られるリュウビンタイやオオタニワタリなどが、屋久島の低地ではごく普通に見られます。

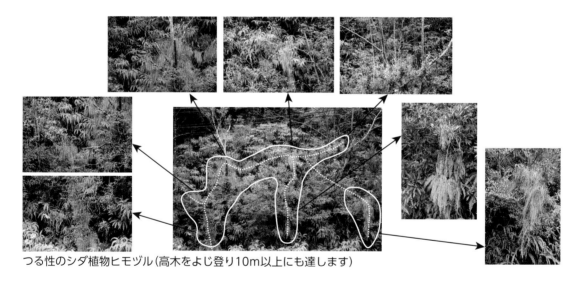

つる性のシダ植物ヒモヅル（高木をよじ登り10m以上にも達します）

【シダ植物の生物学的記述】
　植物分類学上の一門。苔植物と裸子植物との中間に位置し、胞子で繁殖する植物です。分類表では、古生マツバラン類・ヒカゲノカズラ類・イワヒバ類・マツバラン類・トクサ類・シダ類の6綱に分けています。
　無性世代（胞子体）は葉・茎・根の区分があり、大木となる木生シダもあります。体中に維管束があり、葉は多くは羽状に分裂、裏面に胞子嚢を生じ、その中から散布された胞子は、発芽すると、前葉体と呼ばれるずっと小形の有性世代（配偶体）となります。この上に生じた卵子と精子とが受精し、発芽して再び無性世代を生じます。
　地質年代のシルル紀以後の古生代の地層からも多くの化石羊歯植物が見出されています。

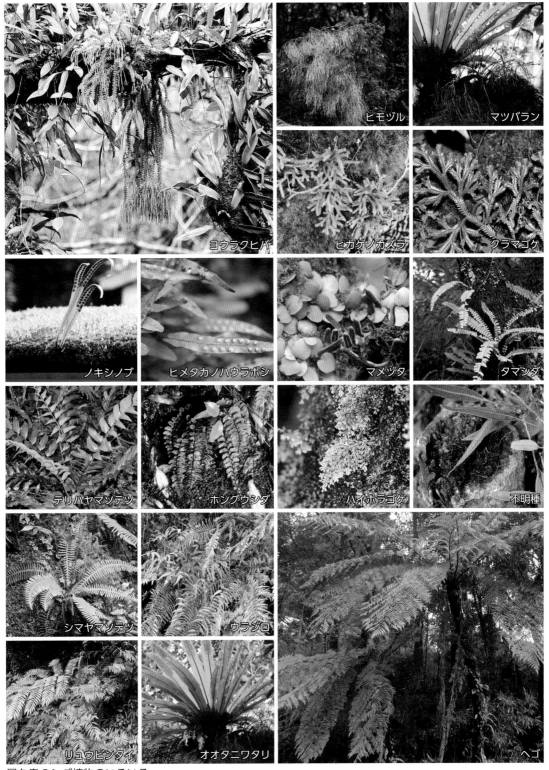

ヒモヅル　マツバラン　ヨウラクヒバ　ヒカゲノカズラ　クラマゴケ　ノキシノブ　ヒメタカノハウラボシ　マメヅタ　タマシダ　テリハヤマソテツ　ホングウシダ　ハイホラゴケ　不明種　シマヤマソテツ　ウラジロ　リュウビンタイ　オオタニワタリ　ヘゴ

屋久島のシダ植物のいろいろ

（10）海岸の砂浜植生

極悪な環境を選んだ植物たち　海岸の砂丘地は、日差しが強い、風が強い、乾燥が激しい、潮水をかぶる、有機物が少ないなど、植物の生育にとって極めて悪い生育環境です。これらの条件は、一般の植物が最も敬遠する場所（環境）ですが、砂丘植物は競争相手の少ない場所で生育する術を勝ちとったたくましい植物たちともいえます。

海岸植物の特性　極悪で厳しい環境に生育する海岸植物は、葉が硬くて肉厚であること、葉に光沢があり、茎は直立せず横にはい、根または地下茎が極めてよく発達しているなどの特徴があります。

屋久島の海岸植物　屋久島の海岸線は岩礁が多く、砂浜はあまり発達しません。小規模ですが代表的な砂浜としては栗生の砂浜と永田の砂浜で、グンバイヒルガオ・スナズル・ツキイゲ、クサトベラなどが生育しています。

栗生海岸の砂浜植物の保護地（砂丘の前面に防波堤ができた）

スナヅルとネコノシタ

ボタンボウフウとキアゲハ幼虫

ネコノシタ（葉の表面が猫の舌のようにざらざらの感触がある）

栗生の砂浜

夏にはウミガメ足跡が観察できます

屋久島最大の浜、永田いなか浜（初夏から夏はアカウミガメの産卵場となる）

屋久島の代表的な海浜植物のいろいろ

（11）隆起サンゴ礁上の植物

世界最北端の隆起サンゴ礁　安房の春田浜の海岸は隆起サンゴ礁で縁取られています。安房川河口右岸に発達する春田海岸は、世界最北端の隆起サンゴ礁の一つといわれています。春の春田海岸で岩場を一面に黄色に彩る花のイワタイゲキがあります。その他に、隆起サンゴ礁植物のイソマツ・シマセンブリ・コウライシバなどが生育しています。

サンゴ礁石灰岩植物　波しぶきをかぶったり、海水に浸かったりする海岸の隆起サンゴ礁の岩地には、イソマツ・イソフサギといった植物によって、サンゴ礁の植生が特徴づけられています。これらの植物たちは石灰岩質でない岩上には生育しないので、サンゴ礁石灰岩植物といわれます。

イワタイゲキの黄色い花　イワタイゲキ（トウダイクサ科）は黄色い花と思われがちですが、黄色く見えるのは花を取り巻く葉の一部で、黄色に色づいた大きな葉（苞：ほう）です。黄色い苞は、クリスマスの頃見る、濃紅色に色づいたポインセチア（トウダイクサ科）の赤い部分に相当します。

イワタイゲキと春田浜の隆起サンゴ礁（3月）

サンゴ礁石灰岩植物の一覧

（12）ヤクシマカワゴロモ
　　　（厳しい生育条件を選ぶ絶滅危惧植物）

絶滅危惧植物のヤクシマカワゴロモ　　屋久島の一湊川には、カワゴケソウ科カワゴロモ属のヤクシマカワゴロモの自生地があり天然記念物に指定されています寺田（2019）。環境省及び鹿児島県では、カワゴケソウ科植物の全ての種を絶滅危惧植物に指定して生育環境の保全を求めています。

熱帯系の植物　　ヤクシマカワゴロモはカワゴケソウ科の植物で、水のきれいな山地の渓流に生える熱帯系の植物です。渓流の水面下の岩石表面を覆うように葉状体が固着する緑色の多年生植物です。この種は、水の中で開花し、結実するという特異な生活をしています。

厳しい環境条件に適応し生育する　　水深30cm未満の水中で光合成するため、水質が濁り日光を通さなくなるとか土砂が堆積すれば生育できなくなります。また、熱帯原産の植物であるため、水温が10℃以下になると生育できません。水量が減って、空気にさらされ乾燥しても生育できないという、微妙な環境バランスの上で分布を続けてきた植物です。岩石の表面に生えますが、仮に植物体に靴をのせても滑りません。

水生昆虫食のカワガラス
（カワゴケソウはカワゴケミズメイガの幼虫の食草でもある）

一湊川中流域の景観とカワガラスの餌場

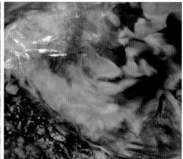

ヤクシマカワゴロモ生育地の状況

一湊川上流域の景観

一湊川(中流域)

ヤクシマカワゴロモ生育地の案内看板

(13) 屋久島の花のいろいろ

花は子孫を残すための生殖器官　植物は、人間の目を楽しませるために花を咲かせるのではありません。では何のために咲くのか。種子植物にとって、花は自分の子孫を増やすために大切な働きをする生殖器官です。花粉は、風・水・動物などによって、おしべからめしべに運ばれます。屋久島の照葉樹林のように優占種の少ない森林では鳥や昆虫によって花粉は媒介されるものが多いといわれています。

送粉者への代償としての花蜜　植物の種類によって、花の形やつくりはさまざまです。動くことのできない植物は、他の生物などに手助けをしてもらい、周りの環境を上手に利用して増える工夫をしています。花粉を媒介する動物のことを送粉者ともいい、送粉者への代償として花蜜を提供します。

屋久島で見られる花の分類階級（科・属・種）
（写真と対応しています）

科	属	種
スギ	スギ	①スギ
ツバキ	ツバキ	②ヤブツバキ
		③サザンカ
	ナツツバキ	④ヒメシャラ
アオイ	フヨウ	⑤サキシマフヨウ
アブラナ	ダイコン	⑥ハマダイコン
スミレ	スミレ	⑦ヤクシマタチツボスミレ
リョウブ	リョウブ	⑧リョウブ
ツツジ	ホツツジ	⑨ホツツジ
	アセビ	⑩アセビ
	ツツジ	⑪ヤクシマシャクナゲ
ユキノシタ	アジサイ	⑫ヤクシマガクウツギ
		⑬ツルアジサイ（ゴトウヅル）
ミズキ	ヤマボウシ	⑭ヤマボウシ
バラ	サクラ	⑮ヤマザクラ
	ナナカマド	⑯ナナカマド
	キイチゴ	⑰コバノフユイチゴ
マメ	クズ	⑱クズ
モウセンゴケ	モウセンゴケ	⑲モウセンゴケ
ジンチョウゲ	シャクナンカンピ	⑳シャクナンガンピ
フトモモ	フトモモ	㉑フトモモ
ツチトリモチ	ツチトリモチ	㉒ヤクシマツチトリモチ
アカネ	コンロンカ	㉓コンロンカ
セリ	シシウド	㉔ツクシゼリ
キク	アザミ	㉕ヤクシマアザミ
	ツワブキ	㉖カンツワブキ

①スギ　②ヤブツバキ
③サザンカ　④ヒメシャラ
⑤サキシマフヨウ　⑥ハマダイコン
⑦ヤクシマタチツボスミレ　⑧リョウブ

屋久島の花のいろいろ

⑨ ホツツジ

⑩ アセビ

⑪ ヤクシマシャクナゲ

⑫ ヤクシマガクウツギ

⑬ ツルアジサイ（ゴトウヅル）

⑭ ヤマボウシ

⑮ ヤマザクラ

⑯ ナナカマド

⑰ コバノフユイチゴ

⑱ クズ

⑲ モウセンゴケ

⑳ シャクナンガンピ

㉑ フトモモ

㉒ ヤクシマツチトリモチ

㉓ コンロンカ

㉖ カンツワブキ

㉔ ツクシゼリ

㉕ ヤクシマアザミ

屋久島の花のいろいろ

（14）屋久島の果実・種子のいろいろ

動物による種子散布　森林にすみ、果実を食べている鳥や哺乳類の多くは、種子を糞として排泄することで植物の種子散布に貢献しています。種子散布の方法は、風による風散布（ヤクシマオナガカエデ・サキシマフヨウ等）、水による水散布（ヤシノミ等）、自ら弾ける自発的散布（ツバキ・イスノキ等）、ただ落ちるだけの重力散布（ドングリ類等）、そして、動物によって運ばれる動物散布（ヤマモモ・シマサルナシ等）があります。

果実・種子は種の同定に使われる　実際に植物に接し、それが何という種なのかを見分けることを同定または鑑定といいますが、果実・種子の形態は多様であり、形状・色・大きさなどで種の同定が可能になることがあります。

屋久島で見られる果実・種子の分類階級（科・属・種）
（写真と対応しています）

科	属	種
マツ	マツ	①ヤクタネゴヨウ
スギ	スギ	②スギ
マツブサ	サネカズラ	③サネカズラ
クスノキ	スナヅル	④スナヅル
コショウ	コショウ	⑤フウトウカズラ
センリョウ	センリョウ	⑥センリョウ
		⑦キミノセンリョウ
ヤブコウジ	イズセンリョウ	⑧イズセンリョウ
マタタビ	マタタビ	⑨シマサルナシ
ユズリハ	ユズリハ	⑩ユズリハ
ツバキ	ヒサカキ	⑪ハマヒサカキ
アオイ	フヨウ	⑫サキシマフヨウ
ウリ	カラスウリ	⑬モジジカラスウリ
ツツジ	ツツジ	⑭ヤクシマシャクナゲ
エゴノキ	エゴノキ	⑮エゴノキ
トベラ	トベラ	⑯トベラ
バラ	ナナカマド	⑰ナナカマド
フトモモ	フトモモ	⑱フトモモ
ヒルギ	メヒルギ	⑲メヒルギ
ブドウ	ブドウ	⑳エビヅル
	ノブドウ	㉑ノブドウ
グミ	グミ	㉒アキグミ
アカネ	ルリミノキ	㉓リュウキュウルリミノキ
クマツヅラ	ムラサキシキブ	㉔オオムラサキシキブ
ユリ	キキョウラン	㉕キキョウラン
サトイモ	テンナンショウ	㉖ヤクシマヒロハテンナンショウ

① ヤクタネゴヨウ
② スギ
③ サネカズラ
④ スナヅル
⑤ フウトウカズラ
⑥ センリョウ
⑦ キミノセンリョウ
⑧ イズセンリョウ

屋久島産植物の果実・種子のいろいろ

⑨ シマサルナシ
⑩ ユズリハ
⑪ ハマヒサカキ
⑫ サキシマフヨウ
⑬ モジジカラスウリ
⑭ ヤクシマシャクナゲ
⑮ エゴノキ
⑯ トベラ
⑰ ナナカマド
⑱ フトモモ
⑲ メヒルギ
⑳ エビズル
㉑ ノブドウ
㉒ アキグミ
㉓ リュウキュウルリミノキ
㉔ オオムラサキシキブ
㉕ キキョウラン
㉖ ヤクシマヒロハテンナンショウ

屋久島産植物の果実・種子のいろいろ

153

（15）屋久島のキノコ類のいろいろ

自然界の蔭の主役　森の中が倒木や落葉でいっぱいにならないのは、キノコなどにより分解され、二酸化炭素となって大気中に戻っていくからです。キノコは樹木の根と共生関係（菌根菌）にあり、樹木の成長を助けるものもあります。生態系では、菌類や微生物が活躍して、ふんわり柔らかく、養分に富んだ表土づくりに貢献しています。

キノコの存在と人間との関係　キノコとは、[木の子の意]子嚢菌の一部および担子菌類の子実体の俗称です。山野の樹蔭・朽木などに生じ、多くは傘状を成し、裏に多数の胞子が着生します。松茸・初茸・椎茸のように食用となるものから薬用まで用途が広い面と有毒のものもあります。

屋久島で見られるキノコ類の分類階級（科・属・種）
（写真と対応しています）

科	属	種
クロチャワンタケ	オオゴムタケ	①オオゴムタケ（食）
キクラゲ	キクラゲ	②アラゲキクラゲ（食）
アカキクラゲ	ツノマタタケ	③タテガタツノマタタケ
イボタケ	カラスタケ	④カラスタケ（食）
タコウキン	タマチョレイタケ	⑤アミスギタケ
	ツガサルノコシカケ	⑥ツガサルノコシカケ（薬）
サルノコシカケ	サルノコシカケ	⑦ウチワタケ
		⑧ツヤウチワタケ
ヒラタケ	ヒラタケ	⑨ヒラタケ（食）
ヌメリガサ	アカヤマタケ	⑩アカヌマベニタケ
ヒラタケ	マツオウジ	⑪シイタケ（食）
キシメジ	シジミタケ	⑫スズメタケ
	キシメジ	⑬オオイチョウタケ（食）
		⑭キシメジの仲間
クチベニタケ	クチベニタケ	⑮クチベニタケ
ベニタケ	ベニタケ	⑯ベニタケの仲間
イッポンシメジ	イッポンシメジ	⑰シロイボカサタケ（毒）
		⑱アカイボカサタケ（毒）
イグチ	ヌメリイグチ	⑲チチアワタケ（食）
テングタケ	テングタケ	⑳コテングタケ（毒）

※（食）…可食　（毒）…有毒　（薬）…薬用

＊キノコ類は植物界ではありません。一般的な五界分類では独立した界（菌界）に属します。しかし、旧来の二界分類では植物の仲間として扱ってきたこともあり、今回は、便宜上この欄に加えました。

オオゴムタケ

アラゲキクラゲ

タテガタツノマタタケ

カラスタケ

アミスギタケ

屋久島で見られるキノコ類のいろいろ

⑥ ツガサルノコシカケ
⑦ ウチワタケ
⑧ ツヤウチワタケ
⑨ ヒラタケ
⑩ アカヌマベニタケ
⑪ シイタケ
⑫ スズメタケ
⑬ オオイチョウタケ
⑭ キシメジの仲間
⑮ クチベニタケ
⑯ ベニタケの仲間
⑰ シロイボカサタケ
⑱ アカイボカサタケ
⑲ チチアワタケ
⑳ コテングタケ

屋久島で見られるキノコ類のいろいろ

第4章 屋久島を安全に楽しむ
―山岳遭難・事故防止の知恵―

厳冬期の永田岳（1973年高塚尾根より）

雲霧林に分け入る

梅雨期の千尋滝

　ひとたび雨が降れば、水は急峻な岩肌をなめるように流れ下り、谷で合流し、一気に海に注がれます。「深く刻み込まれた渓谷美」、「異様な姿で迫る巨岩」、「緑輝く照葉樹林」、「仁王立ちにすっくと立つ巨大な屋久杉」、「怪奇な姿の雲霧林」、「山水画を思わす谷沿いの雲」これら一つ一つが、世界自然遺産「屋久島」の魅力といえます。屋久島の景観の全てが、大量の雨から始まっています。

　魅力的な「屋久島」も、計り知れない力で牙をむくことがあります。屋久島での遭難の特徴を太田（1993）は三つ挙げています。一つは「道に迷って行方不明になる」、二つ目は「河川の渡渉中に流される」、そして三つ目は「冬期から春にかけての疲労凍死」です。これらは、屋久島の個性・特性が成す業です。屋久島の地形・気象・植物・動物の特性を十分知った上で、畏敬の念を持って接しましょう。

　この章では、自然の脅威の原因を「屋久島の地勢と気象」と「屋久島の植物と動物」に話題を分け、筆者の体験談を交えながら、遭難・事故防止の知恵を紹介します。

1．屋久島の地勢と気象が絡む事故

　屋久島は、鹿児島県大隅半島から約60km南に位置し、黒潮がぶつかる海洋島です。地質時代年代区分の新生代第三紀鮮新生（1400万年前）の地殻変動により、海底から花崗岩がせり上がり、姿を現し、屋久島ができました。島のほとんど全体が花崗岩でできています。山の至る処に一枚岩の巨岩が露出し、踏み跡が消え、また、濃い霧にまかれたら周囲の景色が見えなくなり、道に迷う遭難事故が多発します。

白谷雲水峡の雪

　屋久島は、九州一の高峰宮之浦岳（1935m）をはじめ、1800m級の高山が7座もあり、冬期は雪に覆われます。さらにもう一つの特徴といえる「日本一の雨量」があります。海岸付近では年間4000ミリ、山地では1万ミリを超える所もあるといいます。雨の中の登山道では、雨水が歩道を流れることによる珍現象・ミニチュアの「三連滝」が見られます。

歩道の一枚岩

　黒潮とともに湿気を多く含んだ空気が運ばれ、山塊にぶつかることで雲が発生し標高700〜1500mには雲霧帯が発達します。そして、多量の雨をもたらします。このような急峻な岩盤地形、冬期の積雪、多量な降雨が起因する自然の脅威が登山者を襲います。これらを十分に理解し、覚悟して屋久島を楽しみましょう。

屋久島原始林の雨

雲霧帯のサルオガセ

屋久島の地勢と気象

千尋滝右岸壁面の一枚岩

横河渓谷川床の一枚岩

大雨の登山道にできたミニチュアの「三連滝」(白谷雲水峡)

（1）高山を持つ海洋島の自然現象（南の島に雪が降る）

冬期は雪山に変身　高山を持つ屋久島での遭難の一つに、冬期から春にかけての雪による疲労凍死があります。屋久島の低地では熱帯の花・ハイビスカスが咲いていても、1800mに近い高地では根雪が見られ、常識では計り知れない、意外性を持った島です。春山といってもそこは雪山です。

海抜高度によって温度は下がる　空気中の温度は、一般的に標高が100m上昇することによって0.6℃前後低下する（気温減率・逓減率）ことが知られています。屋久島には九州一の高峰・宮之浦岳（1935m）をはじめ、1800m級の山が7座もあります。平地の集落で気温が11℃の時でも、計算によると高地では氷点下に達することになります。太田（1993）によると、最も遭難の起こる季節は3月であり、この時節の高地は暴風雨雪になることが多く、天候の変わり目も早いと述べています。

高地はドカ雪　著者らの体験では、1963年1月と1967年1月の冬山登山で、雪に埋もれた鹿之沢の避難小屋に入れず、雪面から小屋の入り口の扉まで縦穴を掘り、小屋に入ったことがあります。屋久島の雪は大粒の霰状で、冷たく重いでした。

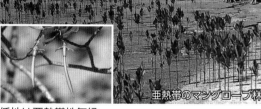
亜熱帯のマングローブ林

木性シダ林

低地は亜熱帯性気候

厳冬期の永田岳（高塚尾根より）　1973年2月

ヒメシャラの森（高塚尾根）

雪の縄文杉

（2）沢沿いに下る危険（沢沿いは滝・滝・滝の連続）

道に迷ったら谷を下るな　登山の一般常識では、山中で迷ったら、川伝いに下ることが推奨されています。しかし、屋久島では逆であり、川沿いに下ることは非常に危険で、また不可能です。川といえども急峻な滝の連続であり、登山の専門家であっても危険な行動です。屋久島の山で迷ったら、上へ登る方が助かる可能性が大であるといわれています。それは、登山道は主稜を走っているし、上に行くに従い視界は開け、必然的に道を発見できるのです。屋久島を知る人は、遭難したら「谷を下るな」と戒めます。

　ここに筆者の遡行体験（1964年10月）のある鯛ノ川の遡行図を提示しました。滝の多さを確認してください。

滝とゴルジュ帯の連続　鯛ノ川にある「千尋滝」は、現在は道路が完備され、近くの展望所までバスや自家用車で見学に行ける景勝地になっています。1964年の遡行体験当時は道路もなく、トローキの滝から出発し、トローキの滝と千尋滝の間には龍神の滝や大規模なゴルジュ帯（登山用語:谷の両側が狭まり、岩壁の廊下状になっている所）が存在しています。これらの内容からも、沢伝いの行動の危険性は一目瞭然です。

白谷雲水峡の急流

小楊子川の中流域

川沿いは急流の連続、川下りは危険

【日本初記録の沢の遡行】

　登山家の屋久島での憧れは、屋久島の「沢の遡行」と「岩場の登攀」でしょう。驚いたことに、太田五男氏の著書（1993）『屋久島の山岳』の登攀史の中で、1962年の大川と1964年の鯛ノ川の全遡行の日本初記録として筆者（鮫島）らの名前が記録されています。偶然にも屋久島を代表する滝、大川（大川の滝）と鯛ノ川（千尋滝）の遡行が初記録になっていたのです。初遡行とは露知らず、果敢に挑戦していた若い頃の自分を、懐かしく思い出します。

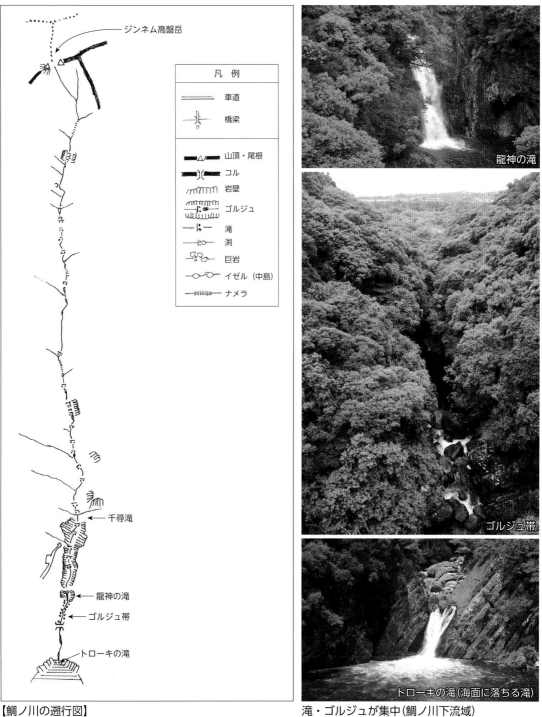

ジンネム高盤岳

凡　例

═══	車道
✳	橋梁
▬△▬	山頂・尾根
▬)(▬	コル
〰	岩壁
〰	ゴルジュ
—¦—	滝
—○—	渕
🔗	巨岩
—◇—	イゼル（中島）
—〰—	ナメラ

← 千尋滝

← 龍神の滝

← ゴルジュ帯

← トローキの滝

【鯛ノ川の遡行図】

龍神の滝

ゴルジュ帯

トローキの滝（海面に落ちる滝）

滝・ゴルジュが集中（鯛ノ川下流域）

（3）雨が絡む遭難事故（屋久島で濡れることの恐ろしさ）

雨に濡れる怖さ　俗に「月に35日雨が降る」といわれる屋久島は、上空は常に雲に覆われていて、その全容が姿を現すことはめったにありません。雨の多さが屋久島の特徴ともいえます。上質の雨具は必携です。特に雨に濡れたあと北西の風にあおられ体温低下し、疲労凍死する遭難事故が起こります。真夏の登山でも、濡れた肌着のままでは体温を奪われます。

ふるえ産熱　私の失敗談です。盛夏の頃、晴天の続く下界から着替えを持たず登山し、大雨に遭い夜の淀川小屋で震えが止まりませんでした。幸いなことに「ふるえ産熱」により体温上昇の結果、大事に至りませんでした。しかし、幼児や子供は体温調節機能が未発達のため、「ふるえ産熱」が機能せず、低体温症により死に至ることがあります。

登山装備は完璧に　完全に雨対策をしても濡れることがあります。綿製の肌着は濡れた場合、体温を奪っていきます。布地の選定は重要な項目です。ウール製の肌着は濡れても体温を奪いません。

淀川小屋（60人が泊まれるログハウス）

淀川の清流にかかる鉄製の橋

【ふるえ産熱】
　人間を含む哺乳類の体温は、代謝による熱産生のような化学的調節および血流増減や発汗のような物理的調節によって一定に保たれています。環境温度が低下すると、皮膚の立毛筋が収縮し鳥肌を生じ、同時に筋収縮による熱を発生します。さらに寒さが厳しくなると、全身の筋肉のふるえにより多量の熱を発生する（ふるえ産熱）が知られています。

スギ原始林の雨

雨期の大川の滝

雨期の千尋滝

（4）鉄砲水（秒刻みで水位が上がる恐ろしさ）

突然の鉄砲水　屋久島では、雨に起因する遭難が多発します。河川の渡渉中に流されることで命を落とす大事故につながってしまうのです。現在いる場所が晴天で穏やかな日でも、上流でまとまった雨が降ると一気に濁流が流れ下ってきます。筆者も尾之間の鈴川で鉄砲水に遭遇し、危うく命を落とすところでした。

登山道の中の河川や沢の渡渉　屋久島には、沢を横断して進む登山道がいくつもあります。渡渉が困難になる主な川（沢）は、安房登山道・尾之間歩道・花山歩道・永田歩道があります。屋久島の谷は急流であることと、河床は岩盤のナメラから成り、雨が降れば急激に水量の増加をみます。雨の日は、これらの登山コースは避けることです。途中からでも雨が降り出し、増水しても、絶対に無理な渡渉はしてはなりません。屋久島では局所的な集中豪雨が多く、周辺は晴天でも、不意に鉄砲水が襲ってきます。

流され命を落とす　登山靴では磨かれた岩は滑り、いったん足をすくわれると水圧はもとより、急流での体勢の立て直しは難しいといえます。流されると下流には多数の滝が待ち構えています。私の知人（屋久島在住の方）が1966年に鯛ノ川上流で鉄砲水に流され死亡しました。

蛇之口滝ハイキングコース登山口（尾之間温泉）

蛇之口滝（落差30mほどの滝。上部の100mの急峻なスラブを含めると大瀑布となる）

【九死に一生を得た鉄砲水からの恐怖】
　「九死に一生を得た」筆者の体験談（1994年6月）です。蛇之口滝へ至る尾之間歩道（蛇之口滝ハイキングコース）の上流域です。支流の渡渉点で、私を含む3名のパーティーが河床中央にある巨岩の上で一息していた時に「鉄砲水」に襲われました。
　水位の上昇は分刻みでなく、秒刻みで上昇してきました。急遽引き返す行動に移しましたが一人一人の引き返しを確認しているうちに水かさが増し、流量の増加で腰まで水圧を受けながら必死に頑張り、やっとのことで川岸にたどりつきました。

鉄砲水の瞬間1994年６月の体験（中央の丸い巨岩には５名程が乗れる）

鉄砲水の起こった現場の平常時の姿（後日撮影。中央巨岩の踏段の位置に注目）

（5）雪中行動での失敗（リングワンデリングの怖い体験）

`リングワンデリングの怖さ`　リングワンデリングとは、独語で環状彷徨のことで、吹雪や濃霧のために方向が分からず、同じ場所をグルグル回り、さまよう事をいいます。

`私の体験談`　屋久島の厳冬期の雪の永田岳登山（1967年1月）でリングワンデリングの現象を体験しました。そのときは、吹雪で視界が2m以下の状態でした。ベースキャンプ地の鹿之沢を6名のパーティーで出発し、真っ白な雪原をラッセル（登山用語：深い雪を分け、道をひらきながら進むこと）しながら登りました。どうにかローソク岩付近の高度に達したと自覚していましたが、その後、なかなか目的の永田岳主峰近くにたどりつけないのです。腰まで入り込む深い雪をラッセルし進んだ挙句の果てに、2時間前に自分たちの残したラッセル跡をふと見つけガッカリしました。その場に適地を見つけテントを張り、一夜を過ごしました。全く狐に化かされたような体験でした。翌日も晴れずそのまま下山した苦い体験談です。

雪中登山

厳冬期の永田岳（宮之浦岳との鞍部より）
（鹿児島県山岳連盟冬山講習会時）1972年2月

厳冬期の永田岳（高塚尾根より）

厳冬期の宮之浦岳（高塚尾根より）

２．屋久島の動植物や構造物が絡む事故

　屋久島は、動植物相に多くの特徴があります。動物や植物が人間の感覚を狂わせる事柄が多く発生します。

針葉樹林帯

　屋久島の森は、規模が大きく広大な範囲にわたって鬱蒼たる森林が繁茂し樹海となっています。高所から望めば、緑の海原に似た観を呈するものを樹海といいます。一度、森林内に入り込めば、同じような起伏による小さな沢状の林床、高く伸びた大径木の連続が続き、自分の位置確認が難しくなります。単独では、登山道を外れ林内に入り込むことは大変危険な行為です。また、登山道の構造物（木道など）にも気を付けましょう。

照葉樹林帯

　屋久島には、中・大型哺乳類としてヤクシマザルとヤクシカが生息しています。林内には獣道が無数に存在します。獣道を登山道と見間違わないよう慎重な注意が必要です。

　大事故にはなりませんが、マムシやヤマカガシの毒蛇、ヤマビルが生息しています。有害動物・危険動物の知識も必要です。

毒蛇マムシ

毒蛇ヤマカガシ

屋久島の自然と事故

針葉樹林帯の景観

照葉樹林帯の林床の景観

（1）樹海の怖さ（見晴らしが利かず、位置感覚が鈍る）

自殺の名所の樹海　自殺の名所として、富士山麓の青木ケ原の樹海が有名です。筆者も観光旅行で青木ケ原に足を踏み入れたことがあります。その場所は、植生景観がどの方向を見ても全く同じであることを感じました。最も高い木の樹冠まで登れば見晴らしが利くこともあると思えますが、木も大きく木登りは不可能でした。いったん道を見失うとなかなか脱出することができません。

屋久島の樹海　屋久島の樹林帯は規模が大きく、中間山岳地帯の樹林内の景観は、一様な樹林が広っていて同じ景色に見えます。低地の照葉樹林や山地の針葉樹林の樹海にも気を付けましょう。

登山者の心得　屋久島登山での遭難の危険性があるのは、登山道から外れ元のルートに戻れなくなってしまうことです。昔は、山中での排泄行為の場合での遭難が多発しました。現在は、トイレブースが各所にあり、用を足すことができます。各自が携帯トイレを準備しましょう。

タネコマドリに会える森（淀川小屋付近）

囀るタネコマドリ（上を向き囀る時に鳥に接近できる）

【樹林内の行動の怖さ】
　筆者の体験談です。初夏1996年7月の淀川登山口付近で、タネコマドリの生態写真撮影に挑戦したことがあります。澄んだ綺麗な鳴き声に導かれ、登山道から外れて必死になって追いかけ、山中の奥へ奥へと入ってしまったことがあります。数十分後、撮影目的は果たしたものの、もとの歩道へ引き返せず、かなりの時間を要し難儀しました。方向が分からなくなる現象は、山が深いこと、外周の地形の起伏や植物の景観全てが同じように見えてくる現象の体験でした。

針葉樹林の奥深い樹海は危険（淀川入り口付近）

常緑樹の樹高は低くても起伏の多い樹海は危険（花山林道）

（2）濡れた丸太橋や木道の危険（登山道に多い構造物の恐怖）

滑りやすい丸太橋や木道　屋久島の登山道は急峻で大小さまざまな沢が多くあり、沢筋には丸太橋が数多くあります。

　屋久島では毎年台風が数回襲来し、杉などの大きな幹や枝が折れ、それらが散乱します。そのこともあり、橋の木材を容易に現場で調達できるのです。大きな径であると一本橋、小さな径では数本の幹を束ね固定したものになります。橋の面は滑り防止のために鉈（なた）で削った簡易な橋や木道です。雨に濡れると滑りやすくなり、危険なものになります。転倒などの大けがにつながります。安全策を考えましょう。一方、屋久杉は腐りにくく、丸太橋は長持ちするようです。最近は、立派な木道になりつつあります。

木道の功罪　最近の登山道は世界自然遺産登録により登山者が多くなり、一般登山道も木道が多くなりました。登山者による新しい道（脇道）の開発防止のための対策でしょうが、木道にはいろいろな功罪があります。バランスをとりにくくなった高齢者には危険なものになります。また、木道が濡れてしまうとさらに滑りやすくなります。登山道でけがや骨折でもしたら救出も簡単ではありません。

手すりはないがしっかりした構造　　手すりがしっかりしている

事故対策に備えた木道

【事故対策の条件】
①頑丈な構造（登山者は思い荷をかつぐ）
②滑り止め構造の工夫
③補助的手すりの構造物

危ない、補強対策を急ぎたい（手すりがあった方がよい）

構造物は頑丈だが傾斜している

「利用者の皆様へ」注意喚起

注意（CAUTION）の喚起

警告・注意の喚起

（3）獣道に騙されるな（鹿道・猿道の踏み跡を読む）

獣道とは　屋久島には、大型哺乳類のシカと中型哺乳類のサルが生息しています。1500mを超える山岳地帯にはヤクザサが茂り、シカによる獣道が縦横に走っています。それは、一般歩道と交差していることもあります。場所によっては一般登山道と見分けがつかなくなり、奥地に入り込んでしまうことがあります。ヤクザサ地帯では、獣道が風雨で浸食され深くなり、這い上がれなくなることがあります。そのような場所は、直ちに引き返しましょう。進んではいけません。また、高木層の林床にも、無数の獣道が縦横に存在します。特に霧に巻かれた時は獣道に十分注意することです。一般歩道（登山道）を利用しましょう。

獣道の見分け方　獣道の見分け方は、山に慣れた人なら難しいことではありません。しかし、専門家でも、はたと立ち止まることがあります。慎重な判断をしましょう。

崖の淵に沿って鹿道ができる

猿道は林床でよく見かける

獣道のいろいろ

【踏み跡（獣道）の見分け方】
　獣道と登山道との見分け方を熟知することも大切です。偶蹄類のシカは蹄があり、習性上、通路に露出・突出した木の根や石の上の表面には直接蹄を下ろそうとしません。結果、踏み跡はほとんど残りません。観察のポイントはコケ類が着いているかいないかと、擦れているかいないかの確認です。一方、人間は不思議なほど露出部分に足を置いて歩く習慣があるため、擦れた踏み跡が一般歩道にははっきりと残っています。

鹿道周辺には角研跡が集中する

猿道は柔らかくフカフカしている

獣道の特徴（鹿道と猿道）

人の利用する登山道は擦れた踏み跡が残る

（4）サルの群れの対処法（からかわない・威嚇禁止）

　サルの習性を熟知する　　猿は集団で行動します。また、群れから追い出された「独り猿」も群れの周辺で「付かず離れず」群れの動きに合わせて行動しています。西部林道でのフィールド調査では、数群に遭遇することがあります。群れの若雄ザルが威嚇してきますが、無視しましょう。相手にすれば、複数の猿が集まってきて騒ぎ出し、怖くなることがあります。猿に背を向けないようにして、静かに引き下がり、猿の群れが遠ざかるのを待ちましょう。

　お菓子の餌付け禁止　　安房林道の車道の猿は、恐喝猿ですので気を付けましょう。女性だとなめてきます。特に菓子袋等は、ひったくります。袋類は持たないようにしましょう。とにかく、猿に対し人間側からの威嚇やからかいは止めることが大切です。「触らぬ神に祟り無し」の諺を生かしましょう。最近は、観光客の「餌やり禁止」のマナーの向上で、サルの群れも穏やかになっているように思えます。

仔をかばう行動、近づかない

口を軽く開け、警告する

一家だんらんの群れには近づかない

体毛を立てたら要注意、そっと引く

猿の群れに遭遇した時の対策

マナーを守れば安全です

脅しのサイン

にらみつけ

餌をねだるサルは乱暴者

警告看板

サルにエサを与えないでください！

猿の出すサインを理解して対処する

（5）屋久島の有害動物（爬虫類・両生類・その他）

屋久島の毒蛇　屋久島・種子島は数万年前までは大隅半島と陸続きであったこともあり、爬虫類相は九州本土と同じです。屋久島には、毒蛇のヤマカガシとマムシが生息します

ヘビ類の毒成分　後牙類のヤマカガシは上顎の奥に大きい歯があり、奥歯で深く咬まれると皮下出血が起こり、死に至ることがあります。治療には、抗毒素血清が効果的です。

　マムシの毒の主成分は出血毒で、毒性はハブよりも強いといわれます。しかし、毒量が少ないため、致命率は低いともいわれています。咬傷事故にあったら、応急処置の後、抗毒素血清治療を受けましょう。

　毒蛇の対処法は、ヘビを見つけたら、近づかないこと、触らないことです。ヘビ類の習性として、不意打ちや脅さない限り攻撃しません。

両生類の毒成分　屋久島に生息するイモリ・カエル類の中で、有毒成分を分泌する種はイモリ、アマガエル、ニホンヒキガエルがあります。ヒキガエルは耳腺、イモリ・アマガエルは皮膚腺です。有毒成分は、健康な手のひらの皮膚などは問題ありませんが、傷等のある手では強烈な激痛がはしります。触った後は丁寧に水洗いをしましょう。また、柔らかく湿った目の粘膜などは触らないようにしましょう。

吸血鬼のヤマビル　屋久島の森には、薄気味悪い吸血鬼のヤマビルが生息しています。山麓部の低地から高地まで分布しています。屋久島での主な宿主はヤクシカと思われます。

　ヤマビルの生態については122ページに詳細に記載しています。

【マムシの生物学的記述】
分布：北海道・本州・四国・九州・種子島・屋久島。
形態：頭部は幅広くほぼ三角形、頸部は細くくびれ、左右の目の前下方に赤外線に敏感なピット器官を持っています。毒牙は注射針と同じ構造の管牙です。体色は茶褐色から赤褐色まで変異が多く、黒化型もあります。暗褐色の銭形斑紋が並び、鎖状に見えることからクサリヘビ科に含まれます。
生態：マムシは平地から山地の森林、渓流沿いなど涼しい場所を好みます。動作は緩慢で、人間が接近しても逃げることもなく、その場で防御・攻撃姿勢をとります。夜行性で昼間は薄暗い所に潜みますが、雨天や曇天には昼間でも行動します。獲物はカエル類・ネズミ類・小鳥などです。
毒性：毒の主成分は出血毒です。

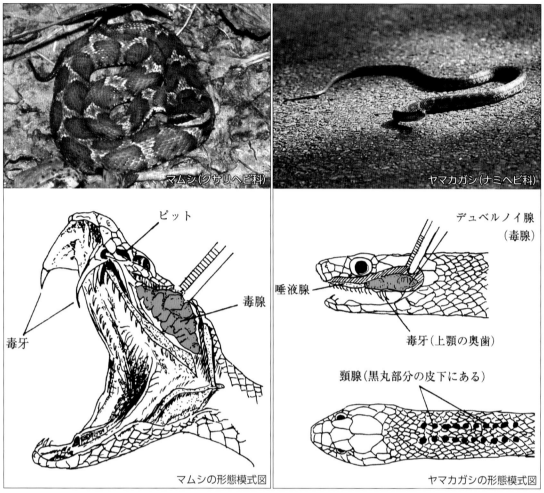

マムシ(クサリヘビ科)

ヤマカガシ(ナミヘビ科)

ピット

毒牙

毒腺

マムシの形態模式図

デュベルノイ腺
(毒腺)

唾液腺

毒牙(上顎の奥歯)

頸腺(黒丸部分の皮下にある)

ヤマカガシの形態模式図

屋久島産の有毒ヘビ類

【ヤマカガシの生物学的記述】
分布：本州・四国・九州・種子島・屋久島。
形態：体の前半部は赤色を帯びますが、体色・斑紋には変異が多く、若い個体では頸部の黄帯が目立ちます。
生態：水田や河川近く、低山の川沿いに生息し、カエル類や小鳥類を捕食する。
毒性：分類学的には、無毒な蛇のナミヘビ類に属しますが、近年は毒蛇としてあつかわれています。上顎の奥に、前方の歯列と少し間隔を置いて1～2本の他より大きい歯があります。歯の基部に耳腺の一種であるデュベルノイ腺が開いています。奥歯で深く咬まれると体質や毒量によっては皮下出血や毒ヘビの咬症に似た症状が起こり、死に至ります。

　ヤマカガシの頸部には、円形組織の頸腺が十数対並んでおり、強く圧すると組織が破れて液が噴出します。この頸腺の液が目や口腔粘膜に付着すると炎症をおこします。頸腺はヘビ自身の防御用の毒腺と考えられています。筆者の観察では、犬に攻撃された本種が、頸の後ろを敵に向け、咬ませるような仕草をするのを見ました。

第5章

登録から30年 『屋久島』 のこれから

休憩所東屋で見る、一幅の額縁（ヤクスギランド）

登山道内で見られた足元の三連滝（白谷雲水峡）

182

明星岳展望台で鮮やかな光を放つ虹（第一幼児教育短期大学ゼミ生の研修旅行）

　屋久島は、登録前と比較して、官民一体となり地道な努力の結果、全体として良好に推移していると思えます。しかし今、目先のことばかりでなく、何かを忘れかけていないか、足りないものはないかを確認する時期でもあります。

　屋久島の良さをさらに磨くために「新たな発見」、「かくれた屋久島の魅力の開発」など探すために試行錯誤を繰り返さなければなりません。屋久島の地勢の多様さ、雲や霧の多いこと、太陽の位置・角度と気象条件が合えば素晴らしい『虹』を体験できる場所が沢山あります。また、屋久島の魅力は、深い森、急峻な渓谷やＶ字谷の峡谷などにあります。日本一雨の多いことでも知られ、『水の島』ともいわれています。地球に優しいクリーンエネルギー（電力）を脱炭素社会を目指し効果的に使い、さらなる発展を進めましょう。

　この章では、1節で『自然の遷移と野生動物の管理』、2節では『世界遺産登録地・国立公園の観光地に学ぶ』を述べました。同じ自然遺産のスイスアルプス、カナディアンロッキー、グランドキャニオンと比べても『屋久島』は遜色ありません。面積や規模は小さいですが、屋久島には独自の自然があり、多様性に富み、奥が深く、個性が潜在しています。

１．自然の遷移と野生動物の管理

　自然物とは、自然界に存在するものの中で、人間や人間の手によってつくり出された物以外の全てとあります。また、人間には対応できない、嵐・大水・大地震・津波・竜巻など天災などによる自然の破壊があります。一方、人間の関わりによって、自然界の「生態系の平衡」が崩れ去ることも多々あります。

　植物には、成長・生育する過程で植物の遷移があり、森の中の地形の崩落や大木の倒壊によるギャップが現れ、植物の遷移が見られます。植物生態学では植生遷移のことを一定の土地の植物群落が時間の経過に伴って不可逆的に変わっていく現象、草原であったものがやがては森林となる類をいいます。そして、最終的に安定する状態を極相といいます。

　動物の社会では生息密度のバランスの崩れによる植生被害が起こり、土砂流出が誘引され自然界に被害を与えます。世界自然遺産「屋久島」を後世に残すためには野生動物の適切な管理が重要課題の１つです。

1999年　2021年

弥生杉 (白谷雲水峡)

安房林道から眺める稜線の崩落

巨木の倒壊 (淀川小屋付近)

車に群がり、餌をねだる

観光客と猿との写真

【サルの餌付けの功罪】

　餌付けの功績は、野生のサルを山からおびきだし餌付けすることによって、密着した精密な観察が可能になり、世界のサル学の発展に寄与したことです。「餌付け」は1952年宮崎県の幸島で、京都大学動物学教室の研究者伊谷純一郎・川村俊蔵・徳田喜三郎の三人のパイオニアによって成し遂げられ、これらの研究は「世界のサル学」に大いに貢献しています。

　一方、餌付けの罪は、餌付けにより、野生のサル社会と人間との間が極端に接近し、知能の高いサルが人馴れし、人間を怖いものとして捉えなくなり、結果として恐喝猿や泥棒猿になってしまったことです。

　最近は「餌をやらない運動」により、昔のサル社会に戻りつつあります。

シカの生息環境のモニタリング調査

シカの食害による林床の被害

【シカの生息密度崩壊による植生被害】

　屋久島におけるヤクシカの分布域は、海岸線から宮之浦岳頂上付近までの全域にわたっています。全島を俯瞰してみると、生息密度のバランスは保たれているようにも見えますが、一部で過密度による植生被害が起こっています。特に、島内西側の西部林道沿いや大川の滝周辺域の被害が大きいようです。現在、研究機関における生態調査が行われており、将来、科学的・計画的なモニタリング調査等の精査・順応的管理による改善策が示されるでしょう。

（1）　自然破壊への対応

自然の変遷と被害　自然界では、植物生態学でいう遷移のほかに、風雪害などの気象条件による変化や、観光客や登山者による人的被害・獣類の生息密度破たんによる植生被害などが見られます。

巨樹・著名木の立ち入り禁止区域の拡大　1994（平成6）年7月の南日本新聞に縄文杉周辺の立ち入り禁止区域の拡大が決定・実施されるとの記事が掲載されました。「縄文杉は屋久島のシンボルとして観光客が過度に集中、皮をはいだり根を踏んだりする人が後を絶たず、抜本的な保護策が求められている」とのことでした。

　対策は、根の保護を目的として「根のうえにプラットホーム様の構造物」を造って対処する保護策です。衰弱する老木には良い効果が認められているようであり、現在では縄文杉以外の紀元杉・弥生杉等でも同様の対策が施されています。

登山道の管理の状況　登山道の木道化や一枚岩への足場の確保も必要となります。個人的には木道は好きではありませんが、多くの登山客が集中し、道幅が広がり横道ができてしまいます。ヒトは一般的に近道を選ぶため、登山道が崩壊してしまうのです。木道は理想的な誘導路として、また、湿地帯の通路としても機能しています。

動物との接触のマナー　屋久島で遭遇する大型の動物は、亜種ヤクシマザル・亜種ヤクシカ・アカウミガメがあります。いずれも話題に上る動物たちであり、観光客とこれらの動物との接触機会も多いようです。お互いに悪影響を及ぼさないように心掛ける必要があり、人間側も動物の生態・行動を学び努力することも必要です。動物との触れ合いの中から新しい魅力が生まれることを期待します。

路肩崩落の補強

湿地環境の保全（花之江河）

紀元杉の根の保護木道

一枚岩（花崗岩岩塊）への足場確保

南日本新聞　1994年(平成6年)7月17日

第3種郵便物認可　南日

立ち入り禁止拡大「やむなし」

残念がる年配者らも

縄文杉周辺の立ち入り禁止区域拡大が決まり、いよいよ二十日から実施される。屋久島のシンボルとして観光客が過度に集中、皮をはいだり根を踏んだりする人が後を絶たず、抜本的な保護策が求められていただけに、地元では「やむを得ない」の声が強い。一方、直接触れなくなるとあって〝ご神体〟的な意味合いを重視する人々の中には、複雑な表情を見せる向きもある。

触れなくなる縄文杉

縄文杉で禁止区域拡大が決まった翌日の十五日昼、杉周辺は約四十人の県外客らでにぎわっていた。

「荒れてて、木が悲しそう」と名古屋市北区西味鋺のコピーライター柴田浩子さん(三一)。「間近に見てて勝手なことを言うようだけど、もっと遠くしてもいいくらい」と理解を示す。

夫と二人で五時間半かけて登ってきた大阪府吹田市青山台の大学講師沢井泰子さん(六二)は、抱きつくよう に縄文杉をなでていた。禁止区域拡大について「しょうがないんでしょうね」と言いながらも「皮膚感覚で触れる日があってもいいのと、残念そう。

里で、屋久町観光協会の小脇清治会長は、十六日もっと遠くしてもいいくらいだれにもある。根の保護が問題なのだから、根の上にプラットホームをつくることはできないのだろうか」と決定に懐疑的。「それにしても、〝縄文杉を見て死ね〟の今の観光のあり方はおかしいですね」

営林署井之浦さん(五三)は「木に触れたい、という欲求はだれにもある。根の保護が問題なのだから、根の上にプラットホームをつくることはできないのだろうか」と決定に懐疑的。

上屋久町宮之浦の民宿経営営林署井之浦さん(五三)は「木に触れたい、という欲求は

までに数件の問い合わせを受けた。近くで十分見られることを説明すると、納得してくれたという。「私たちは自然あっての観光、といういうことで数年前から何らかの措置をお願いしていた。今後も国、県は積極的な姿勢を」と訴える。

川野康朗署長は「(二十日から現地に置く)監視指導員に、どんな説明をすればいいかを、協議会としてきちんと示していきたい」と話した。

縄文杉の雄大な姿をすぐ下から仰ぐ登山客。こんな光景はもうすぐ見られなくなる＝15日午前11時50分

行政　国、県、地元両町などでつくる屋久島山岳部利用対策協議会によると、今回の措置はあくまで緊急避難。

杉の保護のために木片を散りばめている杉周辺に植生を復元、縄文杉を望む位置を大幅にずらすことも検討しており「本年度中に具体的調査に入りたい」という。

規制を厳しくしていくことに対しては、何より縄文杉を訪れる人々の理解が重要となる。夏休みシーズンは目の前。下屋久営林署のは

（2）野生動物の管理

　 鳥獣問題 　屋久島では大型哺乳類の亜種ヤクシマザルと亜種ヤクシカによる鳥獣問題があります。サルに関しては果樹園を荒らす泥棒猿・観光客を脅す恐喝猿が挙げられています。シカは果樹園の鹿害（果樹の幹がかじられ、新芽が食われる）・常緑広葉樹林の林床植物の摂餌による森林破壊・屋久島の顔である高層湿原の花之江河の景観破壊などが挙げられます。

　 野生動物の保護管理 　一般的にいう野生動物の保護管理は、増加している種と減っている種の両者を対象とする対策であることを理解し、科学的・計画的な保護管理が到達目標です。野生動物の情報はもとより生息地に関する生態学的情報、人間側の社会的情報という科学的データをもとにそれぞれの要求を調和させていくことにあります。

　 野生動物管理の究極の目的 　地域に生息する野生動物の健全で恒久的な存続を究極の目的とし、農業・林業・観光など人間の生産活動をも存続させるために両者を調整し、折り合いをつける苦肉の策が野生動物保護管理です。屋久島における野生動物保護管理に難しさを感じます。一部の人間の欲求のみを偏重した無制限な狩猟や、センチメンタルな愛護精神に基づく保護でもなく、被害対策の名を借りた政治的な個体数調整でもないのです。

　 野生動物の管理のプロセス 　野生動物の管理は、科学的・計画的に行う必要があり、そのためにはモニタリング調査等に基づく順応的管理が不可欠的なプロセスです。そのために、①野生動物に起因する被害発生のメカニズムや対策について学び、②特定鳥獣保護管理計画や捕獲に関する諸制度について学び、③科学的・計画的な野生動物管理ならびに順応的管理の考え方とプロセスを学ぶ必要があります。

*順応的な取り組み…自然の推移をモニタリングし、その結果に応じて計画を柔軟に変更すること

林床のシカによる植生被害

生息密度の調節のためのトラップ（サル・タヌキ用）

黄色のタグを付けた個体

赤色のタグを付けた個体

モニタリング調査

モニタリング調査（片角のいるシカとサルの群れ）

【野生動物管理の3本柱】

　野生動物の管理には、"個体数管理"、"生息環境管理"、"被害管理"の3つのアプローチをバランス良く進めることが求められます。今日、種によっては全国的または地域的に生息分布の減少や消滅が進行している一方で、特定の鳥獣による生活環境、農林水産業及び生態系に係る被害が一層深刻な状況にあることから、これら鳥獣の個体数管理、生息環境管理及び被害防除対策の実施による総合的な鳥獣管理の一層の推進が必要となります。

①個体数管理　個体数管理とは、生息密度の低減や被害防止を目的に、捕獲により過剰な個体を個体群から除去する行為で、被害の防止や軽減を目的に実施される場合が極めて多いようです。

②生息環境管理　生息環境管理には、生物多様性保全の観点からの目的があります。生息管理は、各種野生動物の生活基盤であり、それに対する保全上の努力が行われない限り、動物側の保全も成立しません。景観や野生動物の生息環境の保全を念頭に、人工林の広葉樹林化や低木林群落の再生を促し、野生動物の生息に好適な環境を生み出すことです。

③被害管理　野生動物に起因する農林水産業被害の軽減は、わが国における野生動物管理の主要課題の1つとなっています。被害額はニホンザル・ニホンイノシシ・ニホンジカによるものが全体の7割を占めています。被害は、金額のみならず地域に与える社会的影響も加味して考えねばなりません。営農意欲を減退させ、耕作放棄地等の増加を誘発するためです。

　有害鳥獣捕獲などの捕獲行為は、一般に被害管理策として真っ先に検討される手法です。しかし、捕獲のみでは被害の軽減につながらない場合が多く、想定されるものに、過小な捕獲数・不適切な捕獲法・不正確な捕獲頭数が挙げられています。

（3）外来種・地域外移入種

外来種の定義　外来種について、英国の生態学者エルトンは、その著『侵略の生態学』（1958）の中で、人や物資の移動に付随して本来の生息地とは異なる土地に運ばれた生物が在来種を駆逐しながら分布を広げている現象に警鐘をならしています。

外来種の定義では、「本来は生息していなかった場所に、意図的・非意図的を問わず、人為的に運ばれた生物のこと」となっています。

国際自然保護連合のガイドライン　IUCN（国際自然保護連合）のガイドラインでは、「外来種とは、自然分布域あるいは潜在分布域（人為的導入なしに定着し得ない分布域）の外に存在する種、亜種、もしくは下位分類群を意味し、その種が存続し、その後繁殖するようないかなる部分、配偶子や胎芽も含む」と定義されています。

国内起源と国外起源　外来種の中でも特に、導入もしくは拡散が生物多様性を脅かす種を"侵略的外来種"といいます。外来種の由来は国外起源と国内起源に分けられ、それぞれ"国外外来種"、"国内外来種"として区別されることがあります。外来種は全て海外起源と捉えがちですが、導入元が国内であっても地域外移入種、本来は生息していなかった場所に新たに導入すれば外来種となります。

屋久島の外来種問題　屋久島での外来種として哺乳類のタヌキと爬虫類のキノボリトカゲが該当します。タヌキとキノボリトカゲの両種とも屋久島には本来生息していなかった動物であり、近年、それらの駆除対策が急がれています。また、容易にペットとして導入可能なカブトムシ（昆虫類）も屋久島産カブトムシへの被害があります。

【屋久島の外来生物（タヌキ・キノボリトカゲ・本土産カブトムシ）の現状】
　中型哺乳類のタヌキの生息は、人的な移入である。当初は小規模であったが、現在は全島の主に低地に集中している。早急の駆除が望まれる。雑食であり、天敵のいないことも増殖の原因である。
　キノボリトカゲは、奄美諸島以南に自然分布する種であるが、近年、鹿児島県・宮崎県の海岸線に近い暖地で発見が報告されている。港湾等の船舶による物資の搬入・植物の移動で木の洞などに産卵された卵からの増殖の可能性がある（造園業）。また、地球温暖化などが生息北上の原因である。
　カブトムシは、本土産カブトムシがペットとして移入され、在来の屋久島産カブトムシ（やや小型で角が貧弱）との交雑種が生まれ、遺伝的かく乱が起こっている。

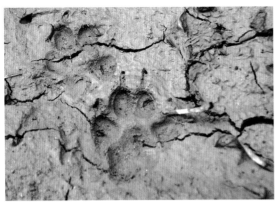

尾之間歩道のタヌキの足跡（フィールドサイン）

国内起源外来種のタヌキ

国内起源外来種のキノボリトカゲ
屋久島の外来生物

カブトムシ（屋久島産と本土産の比較）

【外来種による生態系への影響】
　外来種による生態系への影響は多岐にわたっています。それらは、①「生物間相互作用」、②「遺伝的かく乱」、③「植生破壊」、④「感染症媒介」の4つに分類されます。
　①捕食や競合など生物間に見られる相互作用　外来種の侵入による最も深刻な問題は在来の種や生態系への影響です。特に、生態系における高次捕食者が島嶼などの閉鎖生態系に導入されると、在来種が捕食されることにより個体数の減少や絶滅が起こり、生態的地位の競合による在来種の排除などの影響が起こることがあります。
　②交雑による遺伝的かく乱　在来種と遺伝的に近縁な外来種が導入されると、両種が交雑して雑種が生まれる場合があります。さらにその雑種が繁殖可能であれば、在来種の個体群に外来種の遺伝子が入り込んでしまいます。このような場合には、外来種および雑種を全ての在来種の個体群から排除しない限り、個体群に導入された遺伝子を除去できません。
　③植生の破壊　屋久島における外来種のホンドタヌキとキノボリトカゲは肉食や昆虫食であるため植生の被害は当たりません。しかし、小動物・昆虫類・土壌動物などの捕食により、屋久島の生物多様性に影響を与え、ひいては、植生の破壊や生態系の平衡のバランスを壊す原因となってきます。
　④感染症の感染　屋久島における外来種のホンドタヌキでは、飼育種（肉食目の犬・猫）への疥癬症や消化器系寄生虫の回虫・条虫の感染・伝播が懸念されます。

2．世界遺産登録地・国立公園の観光地に学ぶ

　エジプトの墓地遺跡「ピラミッド地帯」や月から見える地球唯一の建造物「万里の長城」、進化論の提唱者ダーウィンが寄航したエクアドルの「ガラパゴス諸島」など、地球にはたくさんのかけがえのない遺跡や自然があります。人類全体にとって普遍的な価値を持ち、ほかに類例を見ないような“地球の宝物”が世界遺産とされています。ユネスコはこうした貴重な宝物を後世に残していくために、『世界の文化遺産および自然遺産の保護に関する条約』を1972年の総会で採択しました。これを一般的に「世界遺産条約」と呼んでいます。

　日本は1992年にこの「世界遺産条約」の締約国となりました。翌1993年に屋久島は日本初の自然遺産として登録され、わが国でも世界遺産がにわかに脚光を浴びるようになりました。屋久島の生態系や野生動植物の保全のために、世界の条約を守り、国内の環境関連法を十分に理解した上で、持続可能な社会の構築を進める必要があります。

　日本初の自然遺産「屋久島」の魅力は無尽蔵にあり、既に研究者や写真家によって紹介されています。一方、各専門分野により、情報量の濃淡や欠落部分があるのも事実です。今後、諸事情により屋久島本来の魅力が色あせ、衰退することを危惧します。

ユングフラウ（スイスアルプス）

ライン川下り（ドイツ）

グランドキャニオン（アメリカ合衆国アリゾナ州）

ナイアガラの滝（カナダとアメリカ合衆国の国境）　　　カナディアンロッキー（カナダ西部のアルバータ州）

国際条約（環境関連条約）
①生物の多様性に関する条約（生物多様性条約）
②特に水鳥の生息地として国際的に重要な湿地に関する条約（ラムサール条約）
③世界の文化遺産及び自然遺産の保護に関する条約（世界遺産条約）
④絶滅のおそれのある野生動植物の種の国際取引に関する条約（ワシントン条約）
⑤気候変動に関する国際連合枠組み条約（気候変動枠組条約）

日本国内法（環境関連法）
1．環境関連法全体に関わる法律
①環境基本法　②生物多様性基本法　③環境影響評価法
2．種の保護・保全・防除に関する法律
①鳥獣の保護及び狩猟の適正化に関する法律（略称・鳥獣保護法）②文化財保護法
③絶滅のおそれのある野生動植物の種の保存に関する法律（略称・種の保存法）④特定外来生物による生態系等に係る被害の防止に関する法律
3．公園関連法および補完的な役割の法律
①自然公園法　②自然環境保全法　③都市公園法　④都市緑地法
4．議員立法による推進法
①自然再生推進法　②環境の保全のための意欲の増進及び環境教育の推進に関する法律
5．水系管理に関する法律
①河川法　②水質汚濁防止法　③湖沼水質保全特別措置法　④海洋基本法　⑤海岸法
⑥公有水面埋立法　⑦港湾法
6．森林管理に関する法律
①森林・林業基本法　②森林法　③国有林野の管理経営に関する法律
7．食料生産に関する環境配慮法
①食料・農業・農村基本法　②土地改良法　③水産基本法　④水産資源保護法
8．気候変動・資源枯渇の対策に関する法律
①地球温暖化対策の推進に関する法律　②循環型社会形成推進基本法　③廃棄物の処理及び清掃に関する法律

（1）自然保護と観光開発

ジレンマからの脱出　屋久島はまさにジレンマに陥っています。「屋久島の自然」は世界自然遺産に指定されている自然であり、諸外国の自然遺産と比較しても遜色はありません。しかし、現状の屋久島の魅力が十分に発揮されているかと問われれば、まだまだ不足がちな面が多々あり、いくつかの改善策があります。

何が欠けて、どうすればいいのか　短期間の滞在で二者択一を求められると、交通手段の関係で縄文杉等の巨大杉の見学と高地の山岳景観の体験は時間や施設不足で、同時体験は不可能になり、少なからず悔いが残ります。改善策として、まず交通手段の利便性を改善することが考えられます。しかし、自然破壊につながることにならないことが大前提でしょう。既存の施設（軌道や道路）などを再整備し、工夫しながら良策を見つけたいものです。

世界自然遺産登録地・国立公園の交通手段　世界の各地の名勝・景勝地は交通手段が発達し、大量輸送を可能にする航空機・鉄道・バスがあります。そして現場にはロープウエー・ケーブルカー・ラック式登山鉄道等の施設が整備されています。また、目的地までの移動手段として、環境に優しい馬車・動物（馬・ゾウ・ラクダ・ラバ）などが使われ、雰囲気づくりを演出しています。一方、湿地や川・湖・沼では、カヌー・ボート・船（舟）などが完備されています。観光客は乗り物に対する代償（対価）としての支払いは抵抗なく受け入れる傾向があります。

屋久島の一周道路と石塚小屋付近までの高所施設設置　屋久島の一周道路の西部林道では、車の対面通行が難しく、事故が危惧されます。改修工事計画の論議の中で賛成と反対、開発と保護の一辺倒でなく、メリット・デメリット面、規模の大小、道路工法の多様さ、信号機など使う交通方法の多様さを十分に吟味し、ミティゲーションの回避を前提に、安全な一周道路の改修が望まれます。また、高地まで観光客を誘致する観望所まで軌道施設を石塚小屋付近まで伸ばす。大規模なロープウエーでなくてもよく、小規模なスキー場のリフト的なものでも良いと思います。

ミティゲーションとユネスコのMAB計画　今こそミティゲーションの考え方やユネスコのMAB計画のゾーニングの再確認による改善策を施して魅力の活性化を実現したいものです。

【ジレンマ（Dilemma）】
　ジレンマとは、原語名はドイツ語であり、二つの仮定・命題とあります。例えば、「薬Aを投与することによって、症状Xは治まるが、新たな副作用が予測される【大前提】。投与しなければ、症状を抑えることは期し難い【小前提】。結局、Aを投与しても投与しなくても、症状を完全に治すことは不可能だ【帰結】とするような物の考え方。両刀論法ともいいます。

【ミティゲーション】
　ミティゲーションとは環境への悪影響を緩和する制度であり、生態系を保全しつつ持続可能な開発を推進する手法が提示されています。日本では代償措置（別の場所で復元する措置）が話題になりますが、まずは事業の回避や縮小が優先されるべきものです。また、環境保護に配慮した開発を模索する手法でもあります。ヨーロッパ各国でも同様の緩和策が制度化され効果が現れています。

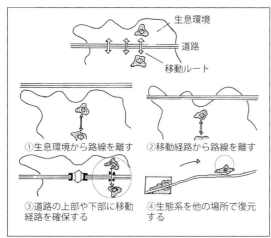

ミティゲーションとは
　野生動植物の生息・生育地に及ぶ人為的影響を回避し、もし回避できない場合は低減し、低減も難しい場合は代償する。ノー・ネット・ロスの考えに基づき、損失を質量の上で出さないようにする代償措置のこと。ミティゲーション・バンキングは対象地の中で代償措置を図ることができない場合に、近隣地域に同様の環境を復元し担保する行為。

道路事業によるミティゲーション

【ユネスコのMAB計画におけるゾーニング】
　MAB計画とは、人と生物圏（manandbiosphere）計画で、国連機関であるユネスコが進めています。原生的な自然環境の効果的な保全手法に関するデータを集積して、日本では数カ所の研究フィールドが設置され、その効果が調査されています。

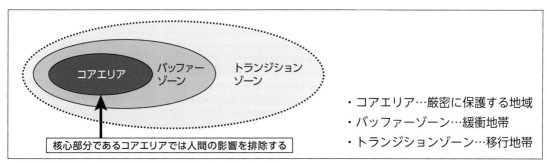

ユネスコのMAB計画による動物圏保全地域のモデル図

【とんでもない発想の源泉】
　高所展望台を石塚小屋付近まで伸ばす計画。
　1966年に鹿児島大学山岳部がボルネオ・キナバル山遠征の資金づくりとして、淀川小屋（現在の小屋の先代の山小屋）の建築資材搬入を請け負ったことがあります。角材やブロック材を背負い搬入しました。森林軌道南沢終点地まで資材を上げてもらい、そこから荷上げ作業を開始。石塚小屋経由安房歩道を登り、さらに花之江河に至り、一気に淀川まで下る工程です。気の遠くなる過酷な作業でした。
　ちなみに南沢終点地（1500m）は世界遺産登録区域外になっています。もし実現すれば、短時間で花之江河・黒味岳までの体験が可能であり、奥岳の宮之浦岳・永田岳を眺望できます。

（2）新聞記事から読み解く

新聞の記事から見る道路改修計画の顛末　1997年6月5日の南日本新聞が1面と社会面（29面）に屋久島の県道の改修についての記事を掲載しました。屋久島は1993（平成5）年には世界自然遺産の指定を受け。官民一体となり地域振興を図っていました。

環境への負荷の少ない持続的発展　偶然にも筆者は、当時の野生動物分野の専門調査員であり、計画の段階で現地の生態系調査と併せて環境への悪影響を緩和する方法を模索しました。最大の問題点は「亜熱帯から亜寒帯までの植物垂直分布」と「野生動物（ヤクシカ・ヤクシマザル）の行動域の寸断」の回避でした。環境への悪影響を緩和する目的について、橋梁とトンネルを数カ所設置することで連続性を保つことが可能と結論づけました。

　現在では、建設工事などで発生する自然環境への影響を最低限にとどめるミティゲーションの考え方や、ユネスコのMAB計画のゾーニングは欧米では広く採用されています。

環境というキーワード　宇宙・深海・環境という分野は、未知の分野として認知されています。実際に環境問題は学際的で多種多様であり、奥が深く明快に結論づけることは難しいようです。指定後30年の今こそ、屋久島の魅力を高めるために、道路改修計画の再考の時期とも思えます。

1997（平成9）年6月6日付
南日本新聞朝刊

世界遺産の島揺れる

1997（平成9）年6月5日付　南日本新聞朝刊

西部林道改修白紙に　　　　1997（平成9）年6月5日付　南日本新聞朝刊

（3）欧米諸国の世界遺産と国立公園に学ぶ

大胆な対策　海外の世界遺産や国立公園を旅行して、施設などが大胆な手法で実施・公開されていることに驚くことが多いです。当然のことですが、それぞれの国や地域により文化や歴史、考え方に違いがあります。しかし、共通であるべき国際上の約束事（世界遺産条約）の規制の中で、それぞれの国により方法・内容にこれほど大きな違いや幅があることを興味深く感じました。この違いを写真や注釈で極端な事例を数件紹介しました。

世界遺産条約　世界遺産条約は、1972年にパリで開催された第17回国際連合教育科学文化機関（UNESCO）総会で採択され、1975年に発効し、日本も1992年に締約しました。目的は、文化遺産や自然遺産を人類全体のための遺産として損傷・破壊などの脅威から保護し保存していくために、国際的な協力および援助の体制を確立するよう求めています。日本もこの条約の内容を遵守しなければなりません。

経済的効果の発揮　自然遺産を永続的に維持するためには、国の関わりはもとより、当地の財源（経済的効果の発揮）の捻出と地域住民の理解と協力体制も必要になります。その起爆剤として観光が前面に出されます。観光客へのサービス・快適さ・満足度・感動を与える仕掛けが施されます。名産品の販売・食事・宿泊・交通関連のサービスなどの提供のために雇用が促進され、当該地に経済効果がもたらされます。しかし、保護と開発のバランスが崩れ、本末転倒にならないことを念頭に置きましょう。

【輝きを放つ観光地】
　筆者の体験した世界遺産と国立公園の調査旅行や観光地は、断片的になりますが列記すると、ヨーロッパ（スイスアルプス、ライン川）、北アメリカ（カナディアンロッキー、ナイアガラ瀑布、グランド・キャニオン）、南アメリカ（イグアスの滝、ペルー領・奥アマゾンのジャングル）、アジア大陸（万里の長城、秦の始皇帝陵・兵馬俑、成都・ジャイアントパンダ保護地、スマトラ島・オランウータン保護地、カンボジア・アンコールワット）、南太平洋（フィジー諸島・ビチリブとバニュアリブ）などがあります。観光のあり方についての多様性を学びました。ここでは欧米諸国の世界遺産と国立公園の中から特徴的なものについて一部を紹介します。

欧州（ヨーロッパ）

ユングフラウ登山鉄道Ⅰ（クライネ・シャイデック～ユングフラウヨッホ）
アイガー・メンヒの山体を貫いて造られたトンネル

ユングフラウ（海抜4158m）

アレッチ氷河

アイガーヴァント

ユングフラウヨッホ　ユングフラウ登山鉄道は、インターラーケン・オスト駅からベルナー・オーバーラント鉄道、ヴェンゲルンアルプ鉄道、ユングフラウ鉄道の３つの私鉄を乗り継ぎ、ヨーロッパで最も高いユングフラウヨッホ駅（3970m）に至る登山鉄道です。

山を貫いたトンネル　ユングフラウ鉄道のほとんどがトンネルになります。このトンネルは度肝を抜かれるような規模であり、アイガー（3970m）、メンヒ（4099m）の山体を貫いて造られています。トンネル内に停車駅があり、窓越しに外の景色や氷河を見ることができます。この鉄道は年間70万人もの観光客を運んでいます。

ユングフラウ登山鉄道Ⅱ（インターラーケン～クライネ・シャイデック）
ラック式鉄道で急峻な線路を進む

U字谷に広がるアルプスの村

登山鉄道

ラック式鉄道

カウベルを響かせる放牧の牛

スイスの大パノラマを満喫する　スイス・アルプスをゆっくり走る車窓には雪を頂いた雄大な山々の景色が現れます。アニメのアルプスの少女ハイジや山羊の群れを連れたペーターが今にも現れそうな光景が続きます。カウベルを付けた牛たちの鈴の音が響きます。

ラック式鉄道とは　急峻な鉄路を行き来する工夫で、線路側と車輪側に歯が刻まれており、これらがかみ合い、推進力やスピード制御の機能を果たすよう工夫されています。スピードは出ませんが安全な運転を保証しています。最近26人乗りのゴンドラが運航していますが、スイスアルプスではラック式登山鉄道が雰囲気があります。

ライン川下り
はるか古代より交易の水路として活用されたライン川

ライン川とブドウ畑

河岸には古城(ラインシュタイン城)

ライン川随一の難所「ローレライ」

ライン川 数々の伝説や古城が残るライン川流域を船上から眺めながら下る旅。
丘陵地帯一面にぶどう畑が広がる古城 ワインの里リューデスハイムを出発し、ラインシュタイン城・プァルツ城・ライヒェンシュタイン城などの古城が眺められます。河畔林や水鳥の姿はのどかですが、後半でライン川随一の難所「ローレライ」を通過します。
ローレライ 船の遭難が多いため、怪しい歌でヒトを水に誘う魔性の乙女の伝説が生まれました。ローレライの歌は日本でも有名です。

ノイシュヴァンシュタイン城
ドイツ南部「ロマンチック街道」の人気観光地の1つ

断崖の上に立つノイシュヴァンシュタイン城

移動は徒歩がメイン
(有料の小型バスと馬車もある)

ビオトープの考えが生かされた森林内

ノイシュヴァンシュタイン城 街道沿いにあるこの城はオペラ『ローエングリン』の白鳥伝説に由来し、名前の通り白亜の城は中世のおとぎ話に出てくるような美しさであり、有名な遊園地のお城のモデルともいわれています。
ビオトープ事業の聖地 ドイツはビオトープの考え方の聖地でもあり、河川・湖沼・草地・畑地・森や林などの管理にビオトープの考え方が生かされており、大変参考になります。

アメリカ大陸

グランド・キャニオン（アメリカ合衆国アリゾナ州）
小型飛行機による空からの遊覧飛行

グランド・キャニオン大峡谷

渓谷の雄大さを楽しめる（サウス・リム）

谷側から顔を出した野生のリス

小型飛行機によるツアー

グランド・キャニオン　浸食作用により、深さは1600m、幅は最大で約30km、長さは約450kmに達する大峡谷です。ラスベガス発着の小型飛行機のツアーがあります。

グランド・キャニオンの生い立ち　グランド・キャニオンは、まだこの辺りが海であった頃の海底の堆積物で、地質学でいう「構造プレートの大衝突」によってこの一帯は隆起し、現在のコロラド高原となりました。岩層には比較的新しい層から相当古い層まであり、ほとんどの地域では2億6000万年前に堆積したカイバブ石灰岩が一番上の層を形成します。層の最も下には花崗岩変成岩帯で片麻石と片岩は18億年前の物です。

ナイアガラ瀑布（カナダとアメリカ合衆国境）
渦巻く滝つぼの水煙に突っ込んでいく遊覧船観光

カナダ滝を真横から眺められるテーブルロック

滝つぼの水しぶきに突っ込んでいく「霧の乙女号」

ビニールのカッパを着て乗船

ナイアガラ瀑布　世界三大瀑布の1つナイアガラ瀑布は、直前にある島で二分され、アメリカ滝とカナダ滝となって流れ落ちています。西側にあるのが馬蹄形のカナダ滝であり、落差は55m、幅675m、水量毎分1億5500万リットルであり、東側にあるのが直線的なアメリカ滝で、落差は56m、幅320m、水量毎分1400万リットルといわれています。

ナイアガラ瀑布のシャワー　アメリカ滝のそばを通り、カナダ滝の渦巻く滝つぼのすぐ近くまで接近していく「霧の乙女号」は大人気の遊覧船です。ビニールのカッパを着て上船しますが、顔や髪と足元はずぶ濡れになります。

氷河の溶けた水をたたえた美しい湖（カナディアンロッキー）
主な湖（モーレン湖・レイクルイーズ・ベイト湖）

神秘的なブルーのモーレン湖

モーレン湖岸

ロッキーの宝石と呼ばれるレイクルイーズ、
旧カナダ紙幣の絵柄にもなっている

ベイト湖は、展望台から見学できる湖
さまざまな色の変化を見せる神秘的な湖

カナディアンロッキー　カナディアンロッキーは、カナダ西部のアルバータ州とブリティッシュ・コロンビア州の1500km余りにわたって連なる大山脈です。この山脈の誕生は、今からおよそ6000万年前、大規模な造山運動によって、原形が造られたとされます。その後、約100万年前の氷河の浸食作用により、急峻な山肌、U字谷、湖沼といった独特の景観が生まれました。主な湖として、モーレイン湖やレイクルイーズ、ベイト湖などがあります。

モーレイン湖　モーレイン湖のある谷間は、「バレー・オブ・テン・ピークス（10の頂きのある谷）」として知られ、氷河の運んだ堆積物（モーレイン）でせき止められてできています。

コロンビア大氷原の雪上車ツアー（カナディアンロッキー）
超大型の雪上車でアサバスカ氷河に乗り込む

コロンビア大氷原観光（駐車場・アサバスカ氷河・コロンビア大氷原）

巨大雪上車で氷河に乗り入れる

アサバスカ氷河（水が飲める）

コロンビア大氷原とアサバスカ氷河　カナダは過去、4回にわたる大きな氷河時代を経てきたといわれます。そしてアサバスカ氷河とコロンビア大氷原はかつて大地を削り、今日見られるロッキー山脈を彫り上げた巨大な氷床の一部です。最後の氷河時代が終わったのはわずか1万年前になります。北アメリカのほとんどの氷河は、年々後退を続けています。

コロンビア大氷原の雪上車ツアー　ここでの目玉は、巨大な雪上車で氷河の上まで行くツアーです。自由に歩くこともでき、氷原の水たまりをすくって飲め、水筒に天然のミネラル・ウオーターを入れ持ち帰ることもできます。これらの大胆な方法に驚きます。

野生動植物とアイスフィールド・パークウエー
野生動物に配慮したハイウエー

アイスフィールド・パークウエー（山岳ハイウエー）　　車窓より望む

スノーバード氷河　　車窓の岩壁には野生動物が出現します

山岳ハイウエー　アイスフィールド・パークウエーの周囲はすべて、動植物の生活の場であり、人間が勝手に入り込んでいることを忘れてはいけません。

ルールを守る　野生動植物への配慮とルールがあり、国立公園内では花を摘んだり、種を取ったり、木や岩を傷つけてはいけません。また、クマ類や大型シカ類には近づかないようにします。

ミチゲーション　野生動物生息地を貫いた山岳ハイウエーのため、生息地が左右に分断されます。この障害を避けるためアンダーパス（地下トンネル）やオーバーパス（トンネル）等の構造物が多数配置され、寸断の回避や低減が施され、環境緩和の効果が発揮されています。

サルファー山のゴンドラ体験
高齢者や障がい者に配慮した観光施設

サルファー山からの眺望　　サルファー山の展望所

交通手段のロープウエー（ゴンドラ）　　バンフの観光地のボウ川とボウ滝（映画のロケ地）

バンフ　バンフは、リゾートの華やかさとアウトドア基地を兼ねた人気の街です。バンフのボウ川のボウ滝は、マリリンモンローの主演映画「帰らざる河」のロケ地です。

サルファー山のゴンドラ体験　サルファー山の展望所へはゴンドラでの登山です。高齢者や障害のある人に優しい施設であり、カナディアンロッキーの眺望が一気に広がります。

カナディアンロッキーの代表的な野生動物　哺乳類では、ブラック・ベアー、グリズリー・ベア、ビッグホーン・シープ、ワピティ、マウンテン・ゴート、ムース（ヘラ鹿）、ミュール鹿、ホーリー・マーモット、リースト・シマリス、ピーカ（ナキウサギ）等があります。

（4）自然保護と観光開発の折衷案

論議と折衷案　テレビ映像でチベット仏教の若い修行僧たちが真剣に論議を交わしている姿がよく映ります。論議とは、ある問題に関し、激しいやりとりの上、より高い相互理解やより具体的な施策を進めること。または、問答によって理非（道理にかなうこととかなわないこと）を明らかにすること。互いに意見を述べて論じ合うことをいいます。

　賛成か反対か、開発か保護かの論議は当然のことであり、それらの結果でより高い相互理解やより具体的な施策を進めることができます。諸々の案の中で、あいいれない二つの物から良い点を少しずつ取って、別のものをつくることとして折衷案があります。

論議にならない事例　自然保護や生態系保全の難しさを強く感じます。一部の人間の偏重した無制限な主義・主張やセンチメンタルな自然愛護でもなく、また、時流に迎合する政治的な演技でもないのです。

国立公園法　国立公園法の第一条に「目的：優れた自然の景勝地の保護と利用の増進を図り、国民の保険・休養等と生物多様性を確保すること」とあります。この中に、景勝地の保護と利用の増進を図るという文言があり、一見、相反する言葉と取れます。しかし、国立公園法では一辺倒の保護だけでなく利用も大きな柱であり、屋久島の自然休養林の「ヤクスギランド」や「白谷雲水峡」が好例です。

屋久島の昔と今　昔の屋久島にはたくさんの登山道がありました。現在は使われなくなった旧道が荒れ果てています。また、小規模な車道も里地を離れるにつれ、立ち入り禁止の看板が目立っています。別の見方では、人間の行動範囲が規制され、自然の保護に貢献しているともとれますが、保全とほったらかしとは別物です。

ヤクスギランド管理棟

太忠岳の遠望（ヤクスギランドより）仏陀杉

【ヤクスギランドの概要】

　ヤクスギランド【正式名称：屋久島自然休養林（荒川地区）】は、安房から安房林道（自動車道）16㎞、標高1000〜1300m地点の名所。1974（昭和49）年に自然休養林に指定され、面積は270.33ha。

　ここには所要時間による４通りの散策コースがあり、楽しみ方も多様で、家族連れのハイキングに最適な場所です。

　屋久島の中間山岳地帯に当たり、スギを筆頭にモミ・ツガ・ヤマグルマ・ヒメシャラなどの巨木が天を突き、林床はハイノキ等の灌木が茂っています。

白谷雲水峡入り口　　　　　苔の森　　　　　　　　三本足杉

【白谷雲水峡の概要】

　白谷雲水峡【正式名称：屋久島自然休養林（白谷地区）】は、宮之浦から白谷林道（自動車道）を使い、宮之浦川支流の白谷川上流、標高800m、面積は424ha。弥生杉をはじめとする原生林を容易に観賞できます。

　最高峰宮之浦岳への登山道がここを縦断し、辻峠、ウイルソン株、大王杉、縄文杉を経由して宮之浦岳へと続きます。一帯は樹齢数千年の屋久杉を含む原生林で、モミ・ツガ・サクラツツジ・ヒメシャラの美しい森林をつくり、コケ類やシダ類も豊富で、清流の美しい名所です。

安房林道　　　　　　　　　　　　　　　　白谷林道

「植物の垂直分布」と「野生動物の行動域の寸断」は回避できている

【西部林道改修案の白紙撤回は果たして正しかったか】

　改修について白紙撤回は正しかったのか疑問が残る。当時、計画の段階で現地の生態系調査での「橋梁」の提案者の一人である筆者がいまさら問題を蒸し返すことはおこがましいですが、西部林道以外の地で動植物の分断回避は成功しています。また、世界の先進地でも「道路事業によるミティゲーション」や「ユネスコのMAB計画におけるゾーニング」は成功しています。アセスの会議で「順応的な管理・計画」の策が出なかったことを残念に思います。

あとがき

　1993年12月11日に世界自然遺産として登録された屋久島は、2023年に30周年を迎えました。

　同じ世界自然遺産のスイスアルプス、カナディアンロッキーやグランドキャニオンと比べれば、規模面積は極めて小さいですが、屋久島には屋久島の自然があり、多様性に富み、奥が深く、世界自然遺産の四つのクライオリテー（資格基準）をすべてクリアし、独特の個性が潜在しています。

　屋久島は森の島です。年間を通して緑の輝きを失わない照葉樹林と、常に雲と霧とをまとう雲霧林・ヤクスギ林という容貌の異なるふたつの森をいだく島でもあります。いまも人の影響をあまりうけていない森林が残り、ユネスコの世界遺産条約登録地、環境省の原生自然環境保全地域、林野庁の森林生態系保護地域など、屋久島の森林のもつ肩書は数多くあります。

　屋久島の自然を俯瞰すると、生態系という考え方が浮かびます。これによると光合成を行う植物は生産者で、それを食べる動物は消費者です。また分解者としての菌類やバクテリアが存在します。生物社会を物質とエネルギーの流れでとらえようとする体系です。食べられるものと食べるものとが釣り合いがとれている状態を「生態系の平衡」といいます。安定した生態系には、植物の種類が多く、それを食物とする動物の種類も多く、食物網が複雑にできあがっていて特定の種類が急に増減するようなことはありません。また、無脊椎動物の昆虫や甲殻類・軟体動物・クモ形類・多足類などの小型生物が活躍して生物多様性が成り立っています。ここに生物多様性の重要性があります。

　屋久島は水の島です。豊かな雨が一年中降り注ぎ、あらゆる命を育む清らかな水の絶えることのない島で「水の島」ともいわれます。年間降水量が8000ミリから一万ミリに及ぶといわれる屋久島山間部があります。日本一の降雨量のある屋久島は豊富な電力を有効に生産できる潜在力があり、脱炭素社会に生きる我々は、「地球にやさしい」クリーンな電力を有効に使いたいものです。

　この本は、屋久島のフィールドガイド的な一般書といえます。小学校高学年から理解できるよう、見開きページで、写真や図表をふんだんに使い工夫しました。また、筆者のジェネラリストが俯瞰した屋久島ともいえます。

謝　辞

　南西諸島の島々の野生動物に興味をもち、それらの多様性や特殊性を学び、調査・研究に励んできました。その間、奇しくも屋久島・奄美大島・徳之島は世界自然遺産に登録されて、世界の注目を集めています。

　終わりに臨み、随時、懇篤なる指導を賜った、迫静雄博士（故人）、大野照好博士（故人）、堀田満博士（故人）、四宮明彦博士、鈴木廣志博士、大木公彦博士、鈴木英治博士、船越公威博士に心から拝謝する。また、その間、終始懇篤な指導を与えてくださった福田晴夫先生、森田忠義先生、田畑満大先生、丸野勝敏先生に対し、ここに謹んで感謝の意を表す。

　各専門分野で活躍される先生方の同定を乞い、種名の正確さを確認しました。特に、海産・陸産の貝類は行田義三先生（故人）、植物は寺田仁志先生、キノコ類は八木史郎鹿児島大学名誉教授・畑邦彦鹿児島大学教授にお礼を申し上げる。また、本書執筆にあたっては、貴重な写真を貸与、その他援助を賜った大牟田一美氏、美穂野善則氏にお礼を申し上げる。

　屋久島登山に関しては、鹿児島大学学友会「山岳部」の先輩や同僚との山行、鹿児島県山岳連盟の方々にお世話になり、お礼を申し上げる。

　最後に、妻イク子には資料の整理など、多大な協力や家族の温かい励ましがあった。長女福原浩子には家族ぐるみで資料不足分の写真撮影の為の複数登山で内容の充実に貢献してもらった。深く感謝の意を捧げる。

　なお本書の編集、刊行にあたり、南日本新聞開発センター野村健太郎氏ならびに編集出版部の皆様に企画の段階からご助言をいただき、終始具体的な面でお世話になった。ここに記して感謝申し上げる。

文献（引用文献・参考文献・引用書目）

東　正雄著　1982年『原色　日本　陸産貝類図鑑』保育社

青木淳一編著　1999年『日本産土壌動物　分類のための図解検索』東海大学出版会

青山潤三著　1997年『屋久島　自然遺産の自然』平凡者

馬場金太郎・平島義宏編者　1991年『昆虫採集学』九州大学出版会

江口・光田・大沢・木村著　環境庁自然保護局編　1984年『屋久島の自然　屋久島原生自然環境保全地域調査報告書』
　　　　（財）日本自然保護協会

福田晴夫著　2027年『チョウが語る自然史　―南九州・琉球をめぐって―』南方新社

深見　聡著　2019年『観光と地域』南方新社

浜口哲一・森岡照明・叶内拓哉・蒲谷鶴彦著　1985年『日本の野鳥』山と渓谷社

初島住彦著　1991年『北琉球の植物』朝日印刷

平島義宏・森本　桂・多田内　修著　1989年『昆虫分類学』川島書店

日下田紀三著　1984年『屋久島の自然』八重岳書房

今関六也・大谷古雄・本郷次雄編・解説　2006年『山渓カラー名鑑　日本のきのこ』山と渓谷社

池田嘉平・稲葉明彦監修　1971年『日本動物解剖図説　広島大学生物学会編』森北出版株式会社

鹿児島県　2016年『改訂・鹿児島県の絶滅のおそれのある野生動植物　動物編』

鹿児島県　2016年『改訂・鹿児島県の絶滅のおそれのある野生動植物　植物編』

倉嶋　厚著　1984年『かごしま　お天気物語』南日本新聞社

河合雅雄著　1969年『ニホンザルの生態』河出出版

叶内拓哉・安部直哉・上田秀雄著　1998『山渓ハンディ図鑑7　日本の野鳥』山と渓谷社

小宮輝之著　2022年『日本の哺乳類』学習研究社

黒田長久著　1967年『鳥類の研究　―生態―』新思潮社

川原勝征著　2001年『屋久島　高地の植物』南方新社

川原勝征著　2003年『新版　屋久島の植物』南方新社

川原勝征著　1995年『屋久島の植物』八重岳書房

木口博史・小原比呂志　林田信明著　2004年『屋久島のコケガイド』（財）屋久島環境文化財団発行村田威夫

谷城勝弘著　2006年『シダ植物　野外観察ハンドブック』全国農村教育協会

三島次郎著　1992年『トマトはなぜ赤い　生態学入門』東洋館

松井正文編　2005年『これからの両棲類学』掌華房

牧野富太郎著．1997年『原色牧野植物大圖鑑』離弁花・単子葉植物編　北隆館

牧野富太郎著　1996年『原色牧野植物大圖鑑』合弁花・離弁花編　北隆館

三井純夫　写真　1994年『7000の記憶　屋久島』南日本新聞社

丸橋珠樹・山極寿一・古市剛史著　1986　『屋久島の野生ニホンザル』東海大学出版会

中村健児・上野俊一共著　1963年『原色日本両生爬虫類図鑑』保育社

日本野生動物医学会編　2015年『コアカリ　野生動物学』日本野生動物医学会　文永堂

中村暁之介・鮫島正道監修　2019年『屋久島の野鳥ガイド』改訂版　（財）屋久島環境文化財団発行

西沢三郎著　1987年『海岸動物』保育社

奈良崎高功　2015年『いのちの森　屋久島』海鳥社（福岡市）

中田隆昭　2004年『屋久島　もっと知りたい　自然編』南方新社

太田五男著　1993年『屋久島の山岳』八重岳書房

大木公彦著　2000年『鹿児島湾の謎を追って』春苑堂出版

大塚潤一（他　西中川駿・鈴木秀作・松元光春・鮫島正道）著　1998　『ヤクジカ』自然愛護　鹿児島

大野照好著　1992年『鹿児島の植物』春苑堂出版

佐竹義輔・原　寛・亘理俊次・冨成忠夫編　1993年『日本の野生植物　木本　平凡社

佐竹義輔・大井次三郎・北村四朗・亘理俊次・冨成忠夫編　1985年『日本の野生植物　草本　平凡社

鮫島正道著　1999年『鹿児島の動物』春苑堂出版

鮫島正道著　1998年『熊毛の自然　熊毛の哺乳類相・両棲類・爬虫類相・鳥類相』
　　　　－鹿児島の自然調査事業報告書Ⅴ　鹿児島県立博物館

鮫島正道著　1998年『口永良部島の両生類・爬虫類・哺乳類相』－鹿児島の自然調査事業報告書Ⅴ　鹿児島県立博物館

清水大典・井沢正名著　1988年『きのこ　見分け方　たべ方』家の光協会

高野伸二著　1989年『フールドガイド日本の野鳥』日本野鳥の会

田名部雄一・和　秀雄・藤巻祐蔵・米田政明著　1995年『野生動物学概論』朝倉書店
田川日出夫著　1994年『世界の自然遺産　屋久島』日本放送出版会
田川日出夫著　1999年『屋久島の生態環境』春苑堂出版
寺田仁志著　2019年『鹿児島植物誌』南方新社
湯本貴和著　1995年『屋久島－巨木の森と水の島の生態学－』講談社
行田義三　2000年『鹿児島の貝』春苑堂書店（鹿児島市）
屋久島ウミガメ研究会著　1995年『屋久島永田・いなか浜におけるウミガメ上陸・産卵報告書』
屋久杉自然館　1993年『屋久杉　巨樹・著名木』屋久町立屋久杉自然館
安間　了・成尾英仁監修　2012年『屋久島の地質ガイド』(財)屋久島環境文化財団発行

索引

著者略歴

鮫島　正道

1943年　台湾嘉義市に生まれる
1962年　鹿児島大学農学部獣医学科卒業
1982年　鹿児島大学農学部大学院修士課程修了（農学修士）
1990年　名古屋大学大学院農学研究科生体機構学教室（論文博士）
農学博士（名古屋大学）
学位論文（主論文）　鶏骨格の品種間分化に関する研究
　―多変量解析ならびに比較形態学的分析―
＊主論文関連の学会誌への論文掲載（3編）添付
　①鮫島正道・伊藤慎一・藤岡俊健　主成分分析による赤色野鶏および家鶏12品種の骨格の比較　Ⅰ頭蓋骨　家禽会誌、25:222-236（1988）②鮫島正道・伊藤慎一・藤岡俊健　主成分分析による赤色野鶏および家鶏12品種の骨格の比較　Ⅱ胸骨および前肢骨　家禽会誌, 26:157-171（1989）③鮫島正道　主成分分析による赤色野鶏および家鶏12品種の骨格の比較　Ⅲ後肢骨　家禽会誌　27:142-161（1990）
＊一般論文　参考論文目録（15編）主論文と同時添付
　獣医麻酔関連　①鳥類の塩酸ケタミン麻酔他獣医麻酔学会5編　②南西諸島の動物相関連大学紀要6編　③鳥類形態学（骨学）日本鳥学会関連2編　④ウミガメの生態研究2編

専門分野：野生動物学・野生生物保護学・獣医学・生物学・博物館学
元鹿児島大学農学部客員教授・元第一幼児教育短期大学教授・元放送大学非常勤講師・元鹿児島国際大学非常勤講師
現在：鹿児島県環境影響評価委員野生動物部門・鹿児島県希少野生動植物保護対策検討委員・鹿児島県自然環境保全協会理事（前会長）・希少野生動植物種保存推進員（環境省）・環境カウンセラー（環境省）・河川水辺の国勢調査アドバイザー（国土交通省）
資格：生物分類技能検定1級（鳥、両・爬・哺部門）・1級ビオトープ計画管理士・獣医師
主な著書：「単著」東洋のガラパゴス　南日本新聞社。奄美大島・徳之島の自然（上・下巻）南日本新聞社。鹿児島の動物　春苑堂。「共著」獣医麻酔ハンドブック(担当鳥類)学窓社。ペットの医学　共同通信。川の生きもの図鑑　南方新社。野生動物医学（共訳）誠文堂
賞罰：2013年　鹿児島県教育委員会表彰（文化財保護関連）。2018年度　地域文化功労者文部科学大臣表彰
連絡先：鹿児島県南九州市川辺町中山田2001-1

中村　麻理子

1976年　鹿児島県に生まれる

1999年　鹿児島大学水産学部資源学科卒業

2001年　鹿児島大学大学院水産学研究科修士課程修了（水産学修士）

2000年　東京大学海洋研究所白鳳丸KH-00-1次航海に参加し、ウナギの産卵・回遊生態解明のための調査で得られた仔稚魚の出現と分布を明らかにした修士論文「マリアナ諸島西方海域における仔稚魚の出現と分布」を執筆した。

専門分野：生物学・保育内容「環境」

現在：第一幼児教育短期大学・神村学園専修学校（幼児教育）・第一医療リハビリ専門学校に非常勤講師として勤務

希少野生動植物種保存推進員（環境省）・環境カウンセラー（環境省）

資格：学芸員・日本ビオトープ管理士（2級ビオトープ計画・施工管理士）

主な著書：（単著）沖永良部島におけるセイタカシギの繁殖生態. Nature of Kagoshima, 36：11-18　沖永良部島の繁殖鳥類. Nature of Kagoshima, 37：9-16　沖永良部島の鳥類相. Nature of Kagoshima, 38：63-71　沖永良部島におけるツミの繁殖. Nature of Kagoshima, 46：549-555（共著）鹿児島における有害生物と幼児教育Ⅲ. 緑色植物. 第一幼児教育短期大学紀要, 3：9-27　自然遊びと幼児教育－五感をみがく自然体験－. 第一幼児教育短期大学紀要, 7：8-29　自然遊びと幼児教育－発達段階での設定－. 第一幼児教育短期大学紀要, 8：50-74　身近な生きものに強い幼児教育者養成－生きもの苦手意識の要因調査改善策－. 第一幼児教育短期大学紀要, 10：10-17　自然遊びと幼児教育－草花絵具と教材開発－. 第一幼児教育短期大学紀要, 12：53-63　南薩地方のキツネの分布と生活痕跡. Nature of Kagoshima, 35：21-28

屋久島の自然
世界自然遺産登録から30年

2024(令和6)年5月27日　初版発行
著　　　者／鮫島 正道、中村 麻理子
発　　　行／南日本新聞開発センター
　　　　　　〒892-0816 鹿児島市山下町9-23
　　　　　　TEL 099-225-6854

ISBN978-4-86074-310-9　定価：2750円（本体2500円＋税10%）